La médecine soigne, l'amour guérit

Christine Angelard

La médecine soigne, l'amour guérit

Postface de Jean-Yves Leloup

FIDES

Dans la collection « Corps et Âme »

La collection « Corps et Âme » est dirigée par Hélène-Andrée Bizier.

Photo en couverture : © iStockphoto

Catalogage avant publication de Bibliothèque et Archives nationales du Québec et Bibliothèque et Archives Canada

Angelard, Christine

La médecine soigne, l'amour guérit

(Collection Corps et âme)

ISBN 978-2-7621-3004-1 [format papier]
ISBN 978-2-7621-3183-3 [format électronique]

1. Guérison.   2. Esprit et corps.   3. Médecine holistique.
I. Titre.   II. Collection : Collection Corps et âme.

RZ401.A53 2010   615.5   C2010-940009-7

Dépôt légal : 1er trimestre 2010
Bibliothèque et Archives nationales du Québec
© Éditions Fides, 2010

Les Éditions Fides reconnaissent l'aide financière du Gouvernement du Canada par l'entremise du Programme d'aide au développement de l'industrie de l'édition (PADIÉ) pour leurs activités d'édition. Les Éditions Fides remercient de leur soutien financier le Conseil des Arts du Canada et la Société de développement des entreprises culturelles du Québec (SODEC). Les Éditions Fides bénéficient du Programme de crédit d'impôt pour l'édition de livres du Gouvernement du Québec, géré par la SODEC.

IMPRIMÉ AU CANADA EN MARS 2010

À tous ceux qui m'ont enseigné,
tant mes professeurs que mes patients.

I

Éveil à d'autres réalités

> Le véritable voyage de la découverte
> n'est pas de voir de nouveaux paysages,
> mais de voir avec de nouveaux yeux.
>
> Auteur inconnu

Mon premier patient

Lors de mon entrée professionnelle à l'hôpital, j'étais en quatrième année de médecine. Trois ans auparavant, à mon concours d'admission, j'avais déjà expérimenté le « pouvoir de l'intention » par le conditionnement mental que j'avais dû m'imposer… Tous ceux qui ont passé ce genre d'épreuves savent quelles obsessions nous habitent alors. Sans être consciente que je faisais là « une préparation psychologique », je me suis centrée sur mon objectif, dressant mon esprit à n'entrevoir qu'une issue : être reçue. À l'époque, on ne parlait pas de coaching, encore moins de préparation psychologique, mais on y tombait tout de même dedans, comme Obélix dans la potion magique. Dans mon cas, je crois bien effectivement que ce fut une potion magique…

Trois ans d'enseignement théorique ont suivi durant lesquels des professeurs, aussi émérites les uns que les autres, tentèrent de nous inculquer les bases de l'art médical. Il en fut un notamment qui nous interpella dès son premier cours de sémiologie (étude des signes cliniques des maladies) en nous affirmant d'entrée de jeu « qu'en médecine deux et deux font rarement quatre ». Compte tenu de la formation scientifique que nous avions reçue, cette affirmation fit sourire et murmurer dans l'amphithéâtre... Néanmoins, je reconnaissais là confusément quelque chose qui me parlait profondément depuis toujours.

« En médecine, deux et deux font parfois quatre, mais peuvent très bien faire aussi trois ou cinq. » Ce saint homme, et c'en était vraiment un pour ses patients, venait de nous enseigner très sommairement que chaque individu était unique, particulier, et qu'on n'obtenait pas toujours le même résultat avec les mêmes données, ce que depuis mon adolescence je pressentais sinon comme l'art de cultiver nos différences, du moins de les reconnaître. Quelque chose de profondément rebelle en moi s'élevait depuis longtemps contre tout ce qui tend à uniformiser les humains, tant dans leur fonctionnement que dans leurs pensées.

J'avais eu des professeurs de littérature et de philosophie particulièrement convaincants... L'affirmation signifiante de mon maître me mit du baume au cœur, et je me souviens très bien m'être dit alors : « C'est bien là qu'il faut que tu ailles. » Je ne m'étais pas trompée de voie.

Après ces trois longues années passionnantes, certes, quoique théoriques, à étudier l'anatomie, la physiologie, la biochimie, l'histologie, la sémiologie, vinrent (enfin !) les stages cliniques. Nous allions être « externes », c'est-à-dire que nous aurions à suivre trois ou quatre patients et à consigner dans un dossier tout ce qui leur arrivait durant leur séjour dans le service.

Pour ma part, je fus affectée en chirurgie digestive, selon les lois du « hasard », ai-je cru du haut de mes 22 ans... J'étais déçue (j'espérais un service de médecine) et, autant l'avouer, plus morte que vive : comment allais-je réagir face au bloc opératoire ? En effet, qui dit chirurgie digestive, implique automatiquement « descente » au bloc, à un moment ou un autre. Ce ne fut pas long.

Dès le premier lundi de mon stage, j'eus l'insigne honneur (!) d'accompagner au bloc un de mes patients, un sympathique boucher toulousain, atteint d'un cancer du côlon. Le grand patron du service allait l'opérer, et comme il était mon patient, je n'eus d'autre choix que de l'accompagner en salle d'opération ! Intérieurement, c'était la panique à bord : comment allais-je réagir durant les prochaines quatre à cinq heures qui allaient me projeter dans un univers to-ta-le-ment inconnu. Allais-je m'écrouler de trac, faire une bêtise ? Dieu merci, je n'avais strictement rien d'autre à faire que d'écouter, d'observer et d'essayer de ne gêner personne dans ce grand ballet qu'est une intervention chirurgicale. On se souvient toujours de son baptême du feu....

Ce fut un superbe baptême.

Tout d'abord, amusé sûrement de voir une nouvelle jeune externe en train de revêtir l'habit chirurgical, le patron m'interpella pour « m'apprendre à me laver les mains ». Des années plus tard, je souris en pensant que c'est un grand ténor de la chirurgie digestive française qui m'a enseigné ce matin-là à me laver les mains selon le protocole chirurgical... (petite flatterie pour l'ego).

Deuxième cadeau : le bloc où opérait ce chirurgien était équipé d'une chaine stéréo. C'était encore le temps où chaque chirurgien avait *sa* salle d'opération attitrée. Ce grand monsieur avait fait équiper son bloc de telle façon qu'il opérait en musique. Mozart ce jour-là était avec nous. Vous imaginez la surprise !

L'équipe professionnelle était certes la première à en profiter, mais par ailleurs, quel bienfait pour l'inconscient du malade ! À l'époque je n'en avais pas conscience, mais par contre je percevais clairement qu'il y avait quelque chose de beau, de puissant dans cette façon de faire.

Je recevais par osmose des enseignements que je ne comprenais pas forcément, mais dont j'avais conscience qu'ils me marqueraient à vie. Troisième cadeau : au premier coup de bistouri électrique, une artériole du patient se mit à saigner abondamment. Bientôt, j'entendis le chirurgien dire derrière son masque : « Il pisse comme une vache. » Avec le temps, j'ai appris que le vocabulaire utilisé dans les blocs opératoires est loin d'être des plus élégants ; il est même parfois très trivial, ou grossier. Est-ce une façon d'extérioriser un stress ? Chose certaine, il n'a aucune signification négative ou péjorative pour le patient. Cela fait partie du folklore des blocs opératoires.

Les cinq heures d'intervention se passèrent au mieux, pour le boucher toulousain... et pour moi ! J'étais arrivée à me faire oublier, à ouvrir tout grands mes yeux et mes oreilles et, surtout, à ne gêner personne. Ouf !

Le lendemain, l'ego en bandoulière, revêtue de ma belle blouse blanche et de mon nouveau savoir, j'allai voir mon patient et m'enquérir de son état. Avait-il bien dormi ? Avait-il mal ? Je trouvai mon sympathique malade de bonne humeur et en aussi bonne forme que possible. Il me confia que d'avoir été opéré par le grand patron lui-même lui donnait totalement confiance dans l'issue de sa maladie. L'avenir lui donna raison. Pour le moment, il avait bien dormi, les analgésiques faisaient leur travail, il n'avait pas de signe de fièvre et montrait de bonnes constantes biologiques.

Comme il n'y avait rien à signaler, j'allais repartir avec ces trois petites lettres sur ma fiche : R. A. S. (rien à signaler). Au moment où je m'apprêtais à prendre congé, il me retint en me disant : « Vous savez, mademoiselle, je ne dormais pas hier pendant l'intervention. » Légèrement condescendante, avec l'insolence de la jeunesse, je lui rétorquai que c'était impossible, qu'on lui avait enlevé 15 à 20 cm d'intestins et que l'intervention avait duré cinq heures. Autrement dit il me disait n'importe quoi...

Oui, me répliqua-t-il sans en faire de cas, mais moi, j'ai bien entendu lorsque le professeur a dit : « Il pisse comme une vache. » Vlan ! Toute ma superbe, et mes maigres certitudes d'étudiante en médecine, fondirent comme neige au soleil !

Premier malade = première leçon

La jeune externe que j'étais découvrait que ses certitudes étaient bien fragiles. « Cela n'était pas possible », ce fut d'ailleurs l'opinion d'une anesthésiste quand je lui fis part de cet événement. Sauf que c'était la réalité : j'étais la veille au bloc et me souvenais bien des propos du patron. Pas possible ?

L'on sait depuis qu'il existe différents niveaux d'endormissement au cours de l'anesthésie. Si les fibres sensitives de mon patient étaient, Dieu merci, endormies, ce dernier avait contre toute attente gardé un certain état de vigilance durant l'opération.

À moins que ce ne soit une de ces expériences de sorties de corps dont on étudie maintenant les manifestations, mais qui à l'époque n'étaient pratiquement pas reconnues.

Deux et deux ne font pas toujours quatre...

Voilà que j'apprenais l'humilité et que j'entrevoyais un monde totalement inconnu.

Il était donc possible d'être totalement insensible et d'entendre ou de suivre ce qui se passe autour de soi ? Plus tard, mes maîtres eurent soin de m'inciter à mesurer mes paroles auprès d'un patient comateux, soi-disant « inconscient ». On sait très bien à présent qu'il existe des niveaux de conscience qui nous permettent de capter ce qui se passe, même dans un profond coma. Des études scientifiques faites sur des expériences de mort imminente ou de retours de coma sont en train de nous révéler que c'est lorsque le cerveau est le moins oxygéné, et qu'il est physiologiquement en souffrance, que se passent ces connexions à un champ de conscience qui nous dépasse. Le cerveau ne serait pas le lieu de la conscience, mais bien un outil nous permettant d'appréhender une certaine forme du réel. Une forme intéressante certes, mais il existerait aussi d'autres possibilités, d'autres réels. J'y reviendrai.

Toutefois, à l'époque de mon premier malade, de mon premier service hospitalier et de ma première leçon, un constat s'imposa d'évidence : la réalité est parfois autre chose que ce qu'on croit.

On me jetait déjà dans un drôle de bain…

Montastruc-la-Conseillère

Je suis jeune diplômée et j'effectue un remplacement en cabinet à la campagne, au nord de Toulouse (France), à Montastruc-la-Conseillère (« conseillère », ô combien les « petits anges » continuent de s'amuser !).

Appréciée par le médecin que j'ai déjà remplacé plusieurs fois, je suis de nouveau sollicitée pour le remplacer durant le mois de novembre. Je dois suivre une multitude de patients plus ou moins graves pendant une quinzaine de jours. Parmi eux, un homme en fin de vie : insuffisance cardiaque, insuffisance rénale et hépatique, avec au surplus des œdèmes, une ascite (eau dans le ventre) et des troubles de la conscience.

Son traitement en est rendu au stade des ponctions d'ascite, qu'il ne faut pas trop rapprocher, car elles accélèrent la détérioration de l'état du patient, mais qu'il faut cependant pratiquer pour lui permettre de respirer. Tout l'art du juste milieu. Le médecin que je remplace, le docteur L. me fait cette confidence : « Je ne le retrouverai pas à mon retour. » Avec la bonne conscience du premier de classe et surtout la bêtise de mon inexpérience, je me promets de lui rendre sa clientèle au complet. Je ne dois pas avoir de décès ! Suprême orgueil ou prétention de la jeunesse ? En vérité, surtout une suprême peur de la mort, ressentie comme un échec. Mais je n'en ai pas encore conscience à l'époque.

Le dernier jour de mon remplacement, vers 22 heures, la femme de ce malade m'appelle : « Mon mari ne va pas bien du tout. » Je pars « à reculons ». Quelque chose en moi se rebiffe. Nous sommes en début d'hiver dans la région toulousaine, il y a un épais brouillard. Je me trompe de chemin, mais… je finis par arriver.

Dès mon arrivée, l'homme me dit : « Je vais mourir. » Avec une assurance outrancière qui fait barrage à ma propre peur, je le convaincs du contraire.

Bien sûr, je le soulage, ou du moins j'essaie. Il est un peu moins mal, respire mieux ; je reste avec lui, tente de calmer son angoisse en appelant une ambulance pour le conduire en clinique où on va pouvoir « mieux l'aider ». Lorsque celle-ci arrive, j'aide les brancardiers à l'installer, et là mon patient expire dans nos bras.

Sa femme accepte la situation avec un certain soulagement: cela faisait trop longtemps qu'il souffrait. En fait, la seule qui vit mal la chose, c'est moi. Qu'aurais-je dû faire pour qu'il ne meure pas?

Le lendemain, lorsque je fais mon rapport au docteur L., je lui annonce, dépitée, la mort de son patient. Ce à quoi je l'entends me répondre: «Vous comptiez peut-être le ressusciter?»

Et là, j'ai soudain (et enfin!) pris conscience que la mort était un phénomène na-tu-rel, l'issue incontournable d'une vie. Non, le médecin ne peut pas tout, oui, nos patients arrivent éventuellement au bout de leur chemin de vie. La mort n'est pas un échec, mais une étape de la vie...

Cette expérience au début de mon parcours professionnel m'a ouvert les yeux. Beaucoup de jeunes médecins, et certainement encore de moins jeunes, dès qu'ils ne peuvent plus guérir leur patient ou le soulager d'une façon ou d'une autre, se retirent, disparaissent de la vie de leur malade, passant la main aux infirmières. Comme si leur rôle à eux était de guérir à tout prix et que, n'y arrivant pas, ils abandonnaient la partie au moment même où elle devient la plus importante.

Combien de médecins vivent le décès de leurs patients comme un échec? Force est de constater qu'un bon nombre d'entre eux, ne voulant pas l'affronter, sortent du jeu plus ou moins lâchement... Il faut dire que dans notre civilisation occidentale, la mort ne fait pas du tout partie de notre univers de pensée, et les médecins n'échappent pas à la règle.

Ce sont le plus souvent les infirmières et les aides-soignantes qui assument ce rôle d'accompagnement. On a ainsi vu malheureusement des médecins «zapper» la chambre d'un malade en phase terminale au cours de la visite et laisser les infirmières faire. Peut être valait-il mieux qu'ils agissent de la sorte, dans la mesure où ils étaient incapables, comme des aveugles sont incapables de voir, d'assumer adéquatement ce tête-à-tête.

Est-il normal que notre médecine soit si peu humaine ? Est-il normal aussi que la mort et son accompagnement ne soient pas au programme de l'enseignement de la médecine ? Il semble que notre société, toute-puissante intellectuellement dans le domaine des sciences de la vie, a sauté un chapitre… et quel chapitre ! Peut être le plus intéressant : la fin de la vie sur terre… L'homme moderne se prend pour un apprenti sorcier dont le rôle est de repousser toujours plus loin les limites de la mort et, du coup, il évacue l'idée qu'elle est cependant inéluctable.

Le médecin occidental a, je crois, un bon bout de travail à faire pour approcher la mort ; même si, actuellement, à la suite des travaux de Mme Kübler-Ross, des équipes de bénévoles accompagnent les mourants, nos médecins sont très peu impliqués dans ce domaine.

Je ne suis pas loin de penser que mon attitude face à ce patient mourant, il y a plus de vingt-cinq ans, est encore trop souvent d'actualité.

Quel est ce monde où l'on forme des supertechniciens de la santé qui ont oublié qu'il y avait une fin à la vie et autre chose à étudier ?

À cet égard, au temps des médecins égyptiens et, plus tard, des médecins esséniens, la vie, la santé, la maladie, la mort étaient perçues comme étant des étapes d'un même processus en perpétuelle évolution.

C'est un signe de grande immaturité de notre société que d'occulter cet accompagnement. Allons-nous vers une société exclusivement tournée vers l'immédiat, la performance, la rapidité, l'éternelle jeunesse, la consommation, des amours, de la nourriture et de la médicamentation ?

Peut-être sommes-nous déjà rendus là ? Il serait urgent de revenir à une société de communion pour accompagner, partager, faire grandir, faire passer… On reconnaît les vrais thérapeutes au fait qu'ils mettent leur science au service de l'autre qu'ils accompagnent sur son chemin. J'ai vu mes patrons agir ainsi. Ce sont de belles exceptions, heureusement qu'il y en a encore !

La clinique Saint-Exupéry

Au cours de mon long cheminement, les patients n'ont eu de cesse de m'ouvrir les yeux.

En revanche, mes maîtres, et notamment mon patron d'internat, m'ont insufflé cette « attention » à l'autre et cette écoute du malade. C'est dans cette clinique Saint-Exupéry de Toulouse que s'est scellée pour moi une façon de travailler, si on veut appeler cela un travail. Le néphrologue J.-M. Pujo, un humaniste très apprécié de ses patients comme de toutes les personnes travaillant dans son équipe, a été pour moi plus qu'un professeur de médecine, il fut un véritable maître. Des hommes comme lui, en plus de vous apprendre ce qu'ils ont à vous apprendre, vous dévoilent le meilleur qui est à l'intérieur de vous. Ce sont de vrais « accoucheurs » de talents. La médecine a connu heureusement beaucoup d'êtres de cette trempe qui, outre un cerveau hyperperformant, étaient dotés d'un cœur qu'ils faisaient fonctionner aux mêmes altitudes. J'ai eu la chance de passer plus d'une année à côté de ce maître. Pour moi, j'ai tout appris là.

Bien sûr, mes certificats validés en poche, je savais beaucoup, en théorie ! Mais le stage interné sous sa direction (nous étions, à l'époque, vraiment internés : du vendredi matin à l'autre vendredi, sans sortir) m'a vraiment permis d'intégrer ce que j'étais censée savoir. Cet humaniste a transmis à tous ses internes un peu de son approche des patients. Je l'entends encore me recommander : « Christine, tu t'assois au lit du patient et tu écoutes ce qu'il a à te dire. Même si ça n'a l'air de rien, même si c'est mal formulé, tu trouveras dans ce qu'il dit des clés précieuses pour le soigner. »

En somme, sa prescription s'inscrivait dans l'enseignement qu'on m'avait donné sur les bancs de la faculté : bien conduire l'anamnèse et prendre du temps pour entendre son malade. J'allais retrouver le même esprit quelques années plus tard dans l'approche homéopathique d'un patient. L'aurait-on un peu oublié aujourd'hui alors que, d'entrée de jeu, on inflige au patient une batterie de tests complémentaires en n'ayant accordé que quelques minutes à ce fameux interrogatoire… ?

Bien sûr il y eut la rigueur. L'humanisme n'excluant nullement la science, durant mon stage, j'ai dû m'astreindre à des lectures de résultats biologiques, qu'il me fallait interpréter au plus finement plusieurs fois par jour, dans le but d'ajuster le plus adéquatement possible les traitements des malades aux soins intensifs ; et Dieu sait si j'ai pu nager lamentablement au milieu de tout ça dans les premiers temps !

Au bout du compte, j'ai bénéficié, bien sûr, de la rigueur de mon maître, mais aussi de sa patience, de son attention bienveillante et de sa lucidité. Il m'a fait grandir sur un plan intellectuel, mais bien plus encore sur un plan humain. Si mes patients m'accordent aujourd'hui quelques qualités humaines et professionnelles, je les attribue aux mois passés à la clinique Saint-Exupéry de Toulouse où je les ai enracinées pour ma vie durant.

Prenant le relais de mes patrons qui m'ont ouvert la voie de l'écoute, de l'attention, de la compassion, mes patients sont venus par la suite me donner les électrochocs nécessaires pour ébranler mes certitudes, et ils continuent de le faire aujourd'hui encore.

Mon stage réussi, me voilà maintenant à 27 ans installée comme généraliste. La « maison mère », c'est-à-dire la clinique Saint-Exupéry, n'est pas trop loin, comme une sécurité invisible…

La leçon suivante ne va pas tarder.

Le mouvement de vie

Cela fait à peine quelques mois que je suis installée, lorsqu'en fin de matinée l'infirmière de l'école voisine m'amène un jeune homme blessé à la tête : une règle en T en métal a « croisé » brutalement son cuir chevelu. Sa coupure saigne abondamment : il faut lui faire des points de suture. Je lui explique la marche à suivre : une petite anesthésie locale et ensuite je recoudrai. Je lui propose de s'allonger sur ma table d'examen ; il refuse, préférant rester assis, ce qui est aussi plus facile pour moi pour bien voir la plaie.

Avant de procéder, je me suis assurée qu'il n'était allergique à rien, du moins à sa connaissance, et qu'il ne prenait aucun médicament.

J'ai donc installé mon plateau avec tout ce dont j'avais besoin sur mon bureau et lui ai fait la fameuse piqûre de Xylocaïne, un anesthésique banal. Pas si banal que ça, il faut croire, car au bout de la seringue, mon patient fit un choc anaphylactique !

Je ne sais pas à quelle force j'ai recourue pour le transporter sur ma table d'examen, mais j'y suis arrivée. J'ai aussitôt pris sa tension artérielle pour constater qu'elle était effondrée.

Les premières secondes ne furent que panique intérieure. Les réflexes professionnels ont toutefois été les plus forts. Mue par une mystérieuse énergie, j'ai réussi à faire les premiers gestes de réanimation ; il a tout eu, dans l'ordre et le désordre (!) : les pieds surélevés, la paire de claques, l'adrénaline, le « Je vous salue Marie », automatique chez moi dans les coups durs… Je ne sais ce qui a le mieux marché, ce dont je suis sûre, par contre, c'est que, pendant ces longues minutes, quelqu'un de plus grand que moi travaillait en moi et m'avait aidée à transporter ce jeune homme à bout de bras, puis à trouver la bonne veine afin d'y injecter le produit approprié. Produit préparé sans l'aide que l'on fourni habituellement en milieu hospitalier. Là, j'étais seule, totalement seule. Aucune assistance… visible en tout cas. En un temps record je suis parvenue à poser tous les gestes nécessaires avec minutie et efficacité. Certes j'avais eu un bon entraînement dans mes stages et à la clinique mais, dans toutes ces expériences, il y avait toujours une infirmière pour vous assister. Tandis que là dans mon petit cabinet de ville…

Dans le feu de l'action, j'ai eu la conscience aiguë de n'y être pour rien dans cette réanimation qui s'opérait à travers mes mains certes, mais dont j'étais autant spectatrice qu'actrice.

Le métier, les bons réflexes appris de mes maîtres, m'ont incontestablement aidée, mais autre chose d'évident et de tellement surprenant pour moi s'était produit : j'avais été habitée par une énergie formidable, un phénomène bien connu des urgentistes, mais aussi par la conscience irréfutable que la vie et la mort allaient leur chemin bien indépendamment du médecin. Au-delà de mon intervention, ce n'était pas l'heure de partir pour ce jeune homme, c'est tout. Ce n'est pas moi qui avais changé le cours des choses et qui l'avais ramené à la vie : je n'avais été qu'un instrument habile.

Qu'on ne s'y trompe pas! Le sentiment troublant que j'ai ressenti à l'époque n'est nullement la manifestation d'une quelconque humilité stupide! Je ne suis pas humble. Na! Qu'on se le dise! Oui, je me suis battue comme une folle pour le ramener à la vie... Mais ça s'est fait à travers moi. Voilà, c'est tout.

Quel choc pour ce petit médecin, fière justement, et persuadée de faire son maximum pour l'humanité!

Quelques mois après cet événement, je me tourne vers d'autres approches de la médecine. Je m'inscris aux cours d'homéopathie et de médecine traditionnelle chinoise à Paris, profitant de mes consultations deux fois par mois sur les lieux pour suivre ma formation.

Au départ, seule la curiosité m'anime, enfin c'est ce que je crois...

Maintenant j'ai l'impression que tout mon parcours est comme téléguidé.

Ces deux approches englobent systématiquement le psychisme, l'histoire du patient et ses ressentis. Jusque dans les années 1980, en médecine classique, lorsqu'on ne trouvait rien d'organique, on balayait le problème en disant « c'est psychologique » et on s'en remettait à un calmant léger pour régler le problème... En homéopathie comme en médecine traditionnelle chinoise, c'est exactement l'inverse: le point de départ est le ressenti du malade....

Dès mes premiers cours d'acupuncture, je reçois un choc. J'irai par la suite de bousculade en bousculade intellectuelle tout au long de mon périple professionnel... Et je ne suis pas sûre que ce soit fini!

D'emblée, notre patron s'en remet à Lao Tseu pour définir le rôle du médecin: «Le rôle du médecin n'est pas de guérir à tout prix, mais de rétablir le Qi (le courant de vie) afin que la

Vie ou la Mort soit atteinte selon la pente naturelle du sujet, et selon sa destinée propre. »

Là encore, bien que médecin, sur mon nouveau banc d'étudiante, je reconnais quelque chose que j'ai déjà rencontré confusément, et je sais que je dois poursuivre dans cette voie. Je m'éloigne peu à peu des certitudes du médecin occidental qui se prend trop souvent pour Dieu. À ce propos, voici une blague que les médecins font à l'encontre des chirurgiens et vice versa : Quelle est la différence entre le Bon Dieu et un médecin (ou un chirurgien) ? C'est que le Bon Dieu, lui, ne se prend pas pour un médecin ou un chirurgien...

Eh bien là, ça y est, je l'ai la voie qui va me faire avancer vers un plus grand humanisme, et sûrement plus loin. S'il me revient de tenter de rétablir le Qi, le courant de vie, la vie et la mort par contre ne m'appartiennent pas. Ce que j'ai vécu avec mon jeune blessé à la tête s'inscrit dans cette lignée. Dans ce cas précis, j'ai rétabli le courant de vie, mais ce n'est pas moi qui décide de la Vie.

Une telle approche me parle et correspond à quelque chose que je pressens depuis pas mal de temps.

De la même façon, l'approche individuelle de ces médecines dites douces que sont l'homéopathie et l'acupuncture me correspondent de plus en plus. En effet, la mise « sous protocole » de bons nombres de pathologies en médecine classique m'agace prodigieusement : on ne parle plus de patients, mais de pathologies. On doit traiter les cancers du sein selon tel protocole, et les ulcères gastriques selon tel autre. Et le malade, là-dedans ? Où est-il ? Bien sûr, il existe des raisonnements bien « cadrés » en thérapeutique, mais une fois rendu là, la souplesse et l'humilité du thérapeute qui va s'ajuster à son patient entrent aussi en ligne de compte...

Ce que mes maîtres m'avaient appris, je ne le retrouvais plus quelques années après durant mon exercice en ville.

Pour ne pas laisser s'éteindre ma flamme, en plus de me référer à mes connaissances thérapeutiques, je me suis mise à laisser mon flair me guider, obéissant ainsi à un de ces vieux médecins de campagne que j'avais remplacé au début de ma pratique et qui m'avait dit : « Écoutez, mon petit, en médecine, ou on a du flair, ou on en n'a pas ! Et si vous n'en avez pas, c'est fichu. » Cela m'avait terrorisée à l'époque, car allais-je en avoir du flair ? Ou au contraire allais-je rater toute ma pratique ? Après 10 ans d'études, comprenez mon angoisse...

Les années qui ont suivi m'ont appris que j'avais ce fameux « flair » et qu'il se développait d'autant mieux quand je me plaçais en position d'observateur et non pas de « Bon Dieu »...

Suivant le courant de l'homéopathie et plus encore de l'acupuncture, pour qui les émotions sont au cœur de l'art thérapeutique, je me suis ouvert à d'autres horizons. C'est ainsi que j'ai appris qu'en acupuncture on ne se demande jamais si l'origine de telle ou telle maladie est psychosomatique ou pas : on sait d'office que la colère affecte la vésicule biliaire, que la joie rejaillit sur le cœur, que la peur lèse les reins, la tristesse, le poumon, et que la rumination intellectuelle touche la rate.

Forte de ces nouvelles connaissances, j'ai pu m'en retourner à mes consultations de médecine classique avec un autre regard et une autre oreille.

Et si la médecine n'était pas juste une acuité dans le regard et dans l'oreille pour qu'au final le thérapeute ait le toucher juste ?

La vie m'envoya une patiente qui allait me conforter dans cette attitude d'accueil et d'écoute et me donner encore une belle leçon.

Cathy : cancer du sein

Cathy est une patiente de mon associé. Elle a eu il y a plusieurs années de cela un cancer du sein. Elle revient régulièrement faire un bilan et parfois traiter quelques petits bobos sans importance. Je ne l'ai croisée que dans la salle d'attente. Mais ce printemps-là, mon associé est en vacances, et Cathy se « rabat » sur moi pour faire son bilan annuel. En effet, le mot n'est pas trop fort, car nous n'avons instinctivement aucune sympathie l'une pour l'autre : sans savoir pourquoi, il existe comme un courant négatif entre nous deux.

Mais bon, je suis là, elle doit faire son bilan, et donc elle me consulte. Je lui prescris toute la batterie de tests applicables dans son cas, y compris des échographies et des radios complémentaires. Je me souviens avoir « chargé » les prescriptions d'examens complémentaires plus par souci d'en mettre plein la vue que par inquiétude : elle allait bien depuis plus de cinq ans, et c'était des examens de routine... (Je ne suis ni humble ni sainte et j'ai mes défauts aussi... je les vois peut-être juste un peu mieux aujourd'hui...)

Quelle n'est pas notre surprise au cabinet quand nous recevons les comptes rendus : il y a récidive du mal, cette fois sur l'autre sein, avec déjà des métastases installées...

À son retour de vacances, en prenant connaissance des résultats, mon associé a cette phrase terrible : « Elle n'ira pas danser au 14 juillet... »

Contre toute attente, c'est moi que Cathy revient voir en consultation ; en effet, comme, j'avais fait déjà les bilans, elle préfère que je continue à la suivre.

Quelle leçon! À ce moment-là, j'en suis au début de mon apprentissage en médecine douce et j'ai cette patiente qui s'en remet à moi, très consciente de ce qu'on a trouvé sur les radios et les échographies, et qui me dit: «Vous savez, docteur Angelard, je ne vais pas mourir: j'ai encore des choses à voir, notamment mon petit-fils qui va naître chez ma fille en Italie, et puis je ne veux pas mourir à 50 ans.»

La seule attitude qui me vient alors, c'est de l'encourager à faire selon ce qu'elle ressent, persuadée néanmoins qu'effectivement elle n'a que quelques mois à vivre.

Prête à guérir de nouveau, cette femme me parle de ses autres démarches thérapeutiques: la diététique, la massothérapie, la visualisation, etc. Je n'y comprends pas grand-chose, mais j'ai conscience de faire preuve d'humanité en l'encourageant.

Avec le recul, je me dis que la seule chose de bien que j'ai dû faire dans mes consultations, c'est de l'avoir écoutée me parler de ses démarches en médecine alternative, de ses projets, et de ne pas l'avoir contredite dans cette voie... J'écoutais avec compassion, l'encourageant toujours à faire ce qu'«elle sentait bon pour elle». À l'époque, j'utilisais ces mots plus par charité chrétienne que par conviction réelle... Quoi qu'il en soit, grâce à elle j'étais dans l'écoute et uniquement dans cela. En somme, c'est Cathy qui m'a enseigné. Qui m'a remise à ma place d'accompagnante et qui est allée chercher en moi une pure attitude d'attention.

Cette femme subissait des chimiothérapies lourdes qui la laissaient exsangue; mais elle mettait un point d'honneur à se montrer à nous toujours pimpante. Bientôt mon jugement quelque peu négatif à son endroit, et sans aucun fondement, à notre première entrevue se transforma en une admiration grandissante tout autant qu'en une incompréhension de ce qui se passait sous mes yeux.

La patiente qu'on avait cru condamnée réagissait favorablement à des traitements pourtant extrêmement lourds et guérissait sous mes yeux. De toute évidence, elle était habitée par quelque chose de fort et d'heureux auquel je ne comprenais rien, si ce n'est que c'était là l'origine de son bien-être. Ce qui l'habitait ressemblait à de la joie ; pas de combat, non. Que de la joie, qu'elle allait chercher à différentes sources inconnues, de moi, en tout cas.

La médecine classique n'y comprenait rien. Au centre anticancéreux, certains médecins ou malades la regardaient un peu de travers, comme pour dire : « Tu crois t'en sortir… mais on ne s'en sort pas. » L'attitude teintée d'agressivité de certains médecins, agacés de ce que leurs patients essaient tout autre chose que la sacro-sainte médecine, est toujours malheureusement d'actualité. J'ai pu le constater encore maintes fois depuis. C'est terrible de préférer s'accrocher à ses connaissances et de mépriser tout le reste plutôt que d'encourager le malade à trouver sa voie ! À quand un vrai dialogue inter-traditions dans la médecine ? Hélas ! comme en religion, les confrontations sont encore trop souvent explosives. Pourtant un seul intérêt devrait prévaloir : celui de son patient…

Pour poursuivre le parallèle avec la religion, s'il n'y a qu'un seul divin, il y a plusieurs routes pour y accéder. En médecine, le seul objectif à viser, c'est d'aider son patient ; quant aux routes pour y parvenir, elles sont nombreuses…

Entre l'idée et la concrétisation de l'idée, il y a tout un océan. Pourtant, ça pourrait être si simple.

Bref, je n'ai eu la grâce de ne pas faire partie de ces médecins bien-pensants que par mes études en médecine alternative de l'époque et peut être aussi, je l'espère, par quelque chose qui grandissait timidement en moi : la foi en plus grand que nos connaissances...

Contre toute attente de la médecine dite classique, Cathy a atteint le seuil de la guérison. Quant à moi, j'ai ouvert désormais encore plus grands les yeux et les oreilles aux leçons de vie que mes patients m'apportaient, persuadée que ma contribution passait aussi par de l'écoute et de l'encouragement. Cathy s'en est sortie très bien ; dès qu'elle s'est mise à aller mieux, mon associé n'a plus voulu avoir de nouvelles. Et moi je suis tombée par « hasard » sur le livre de Bernie Siegel *L'amour, la médecine, les miracles.*

C'est effectivement par amour que nous avons pris le chemin de la faculté de médecine à un certain moment, non ? Nous souhaitions aider notre prochain, l'accompagner dans sa souffrance. L'amour de la science et de ses mécanismes y étaient certes pour quelque chose, mais au second plan. Et voilà qu'une fois que la clientèle s'installe, ce noble idéal se transforme en marathon pour « voir le plus de monde possible » et en combat contre la maladie ou la mort. Combat, lutte, autant d'antonymes au mot aimer... Si on convient d'emblée qu'il est important de déjouer les mécanismes des maladies, pourquoi omettons-nous d'aimer nos patients ? Le mot peut choquer, mais il est juste, je crois. Car si nous les aimons avec le recul et la sagesse qu'il nous est possible d'avoir par notre métier, si nous le faisons sans conditions mais avec lucidité, alors nous comprendrons mieux comment ils fonctionnent. Du coup, nous serons plus aptes à leur donner les bons outils pour traverser ce périple hasardeux qu'est la maladie.

En m'initiant à l'homéopathie et à la médecine chinoise, je renouais avec cet amour d'abord basé sur l'écoute, l'attention à l'Autre que mon bon patron le docteur Pujo avait enseigné à la jeune interne que j'étais. C'est ce même amour que mes patients m'ont renvoyé dans certaines consultations, et qui a guéri Cathy. S'ajoutant à mes propres expériences, le livre de Bernie Siegel est venu me révéler que d'autres s'étaient posé les mêmes questions que moi et qu'il y avait une autre source de guérison.

Dire que j'appelais « hasard » ces patients qui m'arrivaient pour m'enseigner. Tous, depuis le premier jusqu'à Cathy ! Je n'appelle plus ça du hasard maintenant, tellement le fil qui me conduisait était énorme : ce n'était pas un fil, mais un câble… Seulement mes yeux qui croyaient tout voir ne voyaient rien. Peut-être que les taupes aussi sont persuadées de ne rien perdre et de tout contrôler… De fait, j'ai presque peur que les taupes soient plus modestes que nous autres humains, arrêtés que nous sommes par ce que nous savons. « L'intelligence arrêtée par ce qu'elle sait est encore une belle preuve d'imbécillité même diplômée » (J.-Y. Leloup, *Désert. Déserts*).

Il m'est apparu au bout de toutes mes réflexions que si ce que nous savons est fini, ce que nous ne savons pas est infini… Cette constatation, toute belle qu'elle fût, m'a complètement déboussolée pendant une longue période, d'autant que j'étais sans interlocuteurs pour en parler et que, par surcroît, ma pensée n'était pas suffisamment claire pour faire le bilan qui s'imposait.

Entre-temps, la vie suit son cours…

Je continue mes cours à Paris et j'y trouve de belles satisfactions, mais de retour dans ma pratique quotidienne, j'ai mal : je n'ai pas assez de temps pour bien « voir » mes malades et je ne suis pas toujours d'accord avec les protocoles à suivre. Je veux du temps avec mes patients, je veux pouvoir les écouter, aller plus loin avec eux, et je vois bien qu'eux aussi en ont envie. J'ai la désagréable impression que je détonne de plus en plus dans ce cabinet de médecine classique. Je travaille des heures et des heures, des week-ends complets et j'ai l'impression de passer à côté de la vraie médecine, même si j'y mets tout mon cœur et toutes mes connaissances.

Je ne suis plus en phase avec pas mal de collègues : je passe un patient quand ils en passent trois... L'envie de tout arrêter fait son chemin. Je me renseigne même pour quitter la médecine de clientèle et aller dans la médecine de laboratoire : au moins là, je n'aurais plus le dilemme du temps accordé au patient. Mais là, c'est encore pire : il me faudra faire de la promotion, voire de la vente de molécules chimiques... De un, ma certitude qu'on ait besoin de toute cette chimie est de plus en plus vacillante. De deux, je suis nulle en vente !

Après un début de profession plein de promesses, je suis à cette époque complètement perdue, et ne sais plus où aller.

Révolution personnelle

J'en suis là dans ma « déroute existentielle » : tourner le dos à ce genre de médecine de consommation hyperrapide et axée sur du court terme. Beau projet s'il en est un, mais en même temps que faire et comment ? J'appelle cette période de ma vie une mini-révolution personnelle. Les affres de cet « accouchement » sont douloureuses, car vu de l'extérieur, tout va bien : je suis associée à un gros cabinet de Toulouse, la clientèle est là. Où est donc le problème ?

Le problème, c'est que je sais confusément, comme un grondement sourd que rien n'arrêtera, que ce n'est pas ça la vraie médecine, qu'il y a d'autres dimensions à côté desquelles je passe trop souvent faute de temps et d'attention. Toujours faire vite, voir le plus de monde possible, vite, vite, toujours vite, au mépris d'une qualité de travail et d'une qualité de vie. Pendant un temps, on s'enorgueillit de travailler une nuit sur deux, un week-end sur deux et d'avoir une grosse clientèle : « Ca marche ! » Que d'heures à courir... après du vent, et forcément... à s'épuiser.

Et je m'épuise, et je veux arrêter, mais dans ma vie personnelle, je ne peux m'arrêter : il me faut continuer à gagner ma vie... en la perdant. C'est le constat que je fais et que personne ne veut entendre autour de moi à l'époque.

C'est à ce moment qu'un coup de tonnerre frappe dans ma vie ! Un vrai coup de tonnerre en apparence sans aucun lien avec ce que je vis au quotidien.

Un matin de juin 1991, je suis chez moi, je revois encore exactement où je me trouvais dans ma chambre, je reçois un coup de téléphone de la clinique Saint-Exupéry. Une interne que je connais bien, et dont la mère est malade, m'appelle en larmes au téléphone. Je pense immédiatement qu'il s'agit du décès de sa mère.

Pas du tout, contre toute attente, elle m'annonce celui du docteur Pujo, mon ancien patron. Je l'avais vu la dernière fois en début d'année pour les vœux que j'allais lui présenter tous les ans. J'en profitais pour faire avec lui le point sur ce que je vivais. Ses dernières paroles me faisaient un doux reproche : « Tu travailles trop, on ne te voit plus beaucoup ici. Essaie de venir de temps en temps le midi manger un morceau avec nous. » Effectivement, avoir été interne là-bas laissait des liens indéfectibles, et j'y étais toujours bien accueillie lors de mes visites. Cette clinique était la maison mère de bon nombre d'internes sûrement, et en tout cas la mienne.

Dans les moments d'adversité, combien de fois ne l'ai-je pas évoquée, ne serait-ce qu'à titre de référence ? Et là, tout à coup, le « ciel me tombe sur la tête ». Je reste figée, incrédule et apprends qu'un cancer a emporté le maître que je vénérais en trois, quatre mois. Fulgurant!

Je suis littéralement figée. Quelque chose en moi est rompu. Je ne pleure pas; je suis sous le choc. Je m'occupe de décommander ma garde du samedi suivant auprès de mon associé, car ce samedi à 8 heures, c'est l'enterrement; plus exactement, d'abord la levée du corps à la clinique, puis la messe dans une église de Toulouse, derrière l'Hôtel-Dieu.

J'ai une énergie féroce pour me libérer cette matinée et les yeux secs. Je demande à ma mère de venir coucher à la maison la veille pour pouvoir partir tôt le samedi matin. Elle prendra soin des enfants.

Et je passe ces deux jours qui précèdent les funérailles comme un zombie: je dois faire des consultations, probablement, mais je ne sens rien, je suis déconnectée.

Ma mère me pose bien des questions et s'attriste de cet événement. Moi, je suis toujours avec un «électro-encéphalogramme plat»: je ne montre aucune émotion.

Le samedi matin arrive, je m'en vais me préparer et j'ai l'impulsion de me faire «belle», entendez, élégante! Pas de noir sinistre, pas de mine patibulaire!

À l'instar de Clemenceau qui, en entrant dans la chambre où reposait Monet, avait enlevé le drap noir qui recouvrait son cercueil en décrétant: «Pas de noir pour Monet», je me suis dit: «Pas de noir pour Pujo, mais de l'élégance — et de la légèreté». Mon patron aimait le beau, le léger: autour de lui, sur lui, dans son décor, partout. Une patiente en dialyse m'avait dit un jour: «On reconnaît le docteur Pujo de loin, lorsque dans notre lit on voit la porte qui s'entrouvre. Avant qu'il apparaisse vraiment, du fond de nos lits alignés pour la dialyse, on le reconnaît à ses pantalons et ses chaussures: il est toujours élégant!»

Donc là, une impulsion absolument irraisonnée me pousse à me préparer en y mettant la grande forme, mais je suis en même temps dans un état toujours un peu irréel, comme en dehors de la situation. Quand je sors de ma chambre, en bleu ciel, bien coiffée et maquillée… et sûrement assez élégante, ma mère en me voyant habillée pour un déjeuner en ville plus que pour un enterrement craque (depuis trois jours, elle me trouve bizarre…). Elle me dit : « Tu ne vas tout de même pas sortir comme cela pour un enterrement ? » À ces mots, sans provocation aucune de ma part, mais toujours déconnectée du mental, je lui réponds : « Si, pourquoi ? » Je ne sais si elle a eu le temps de m'objecter quelques valeurs de bon sens, en tout cas je ne les ai pas entendues et m'en suis allée comme cela à l'enterrement en bleu ciel, toute pimpante.

Si je raconte tout cela, c'est pour bien expliquer que je suis toujours en état de choc, comme au-dessus de la vie qui se déroule et à laquelle je dois participer tout de même. À l'époque, j'ai deux enfants, un cabinet qui tourne. Une partie de moi effectue ce qu'il y a à faire, mais une autre, et non des moindres, n'est pas là. Suspendue en dehors du temps. On appelle cela un état de choc…

La conscience partie ailleurs, on assiste au spectacle de la vie. On est en quelque sorte dans la vie, mais absolument imperméable aux émotions ; le temps et l'espace n'ont plus leur emprise sur nous. Est-ce vraiment si négatif ? Je n'en suis pas si sûre… Je crois, pour avoir revécu cela à d'autres occasions marquantes, que c'est comme une expérimentation, une initiation dans notre vie à quelque chose qui se passe sur un autre plan. Dans la « vraie » vie…

Bien sûr, l'église est trop petite pour accueillir famille, élèves, amis, confrères et autres personnes venues pour la cérémonie.

Bien sûr aussi, une émotion extrême empreint les lieux et la cérémonie. Cet homme n'ayant pas encore 50 ans, ce père de quatre enfants, ce patron adoré par ses patients et ses employés, ce maître unique pour ses élèves... Ce jour-là, des anciens internes en poste à l'autre bout du pays avaient traversé la France pour lui rendre un dernier hommage. Donc, oui, l'émotion est palpable. Mais ce qui se passe pour moi est d'un autre ordre. Pendant le sermon, prononcé je crois par un prêtre ami de J.-M. Pujo, je reçois en plein cœur, en plein ventre aussi, la certitude que la mort n'est qu'un passage : mon ancien maître vit toujours, détaché de son enveloppe certes, mais il est vivant sur un autre plan...

La mort du corps = l'âme hors du corps.

Je le sais fort bien, certains vont me dire que mon désir de le voir vivant a pris le dessus... Que c'est l'état de choc, lequel dans mon cas n'est pas du tout désagréable, qui me conditionne.

Mais non ! Il s'est une fois de plus passé là un phénomène qui n'a rien avoir avec le cerveau. *J'ai su.* C'est tout. Oui, j'avais eu une bonne éducation religieuse et j'avais appris gentiment ce qui est relatif à la vie après la mort... Mais là, c'est tout autre chose : une révélation qui prend aux tripes et au cœur, justement pendant que la tête est comme « en suspens ». Cette certitude n'empêche pas la tristesse de voir partir un homme encore jeune et tellement bourré de talents. Je me souviens avoir enfin pu pleurer à la sortie de la messe, sur les marches de l'église. Toutefois, une brèche s'était ouverte en moi qui allait laisser passer toute une source d'enseignements. Enseignements allant au cœur et laissant au repos ce mental que je cherchais toujours à rendre plus performant.

J'ose appeler cela une effusion de l'esprit. Une douce joie, sur fond de tristesse, m'a envahie lorsque, totalement transformée par un mental qui s'était mis en suspens pendant trois jours et par un cœur qui avait pu ainsi s'ouvrir à une dimension inconnue de lui, je suis sortie de cette cérémonie. Je ne cherche ici à convaincre personne, je veux juste témoigner.

Nous sommes à la mi-juin. J'ignore ce qui va se passer, mais je perçois qu'il va y avoir quelque chose...

Effectivement... Dans les six mois qui suivent, je prends la décision de vendre mon cabinet de médecine générale et de partir ailleurs me poser comme «thérapeute». Je quitte Toulouse, devenue trop lourde pour moi.

Même si cette ville est très agréable et que les gens y sont adorables, j'y ai vécu des années pas faciles sur le plan familial, j'y ai surtout beaucoup travaillé et j'ai besoin de m'éloigner.

Quand j'annonce à mon entourage que je vais arrêter la médecine classique pour travailler différemment, on me prend pour une folle. Mon associé est furieux de me voir partir, même si nous n'avons pas la même conception de la médecine. Les collègues que j'informe de mon projet sont inquiets pour ma santé mentale. Quant à ma propre famille, elle n'y comprend rien et se fait du souci. Je peux concevoir avec le recul toute cette inquiétude, mais sur le moment, au-delà de toutes les réactions que je suscite, je me sens poussée, irrémédiablement.

«Si je ne le fais pas, je meurs.»

Ma décision prise, la vie s'enchaîne avec ses stress, ses difficultés, mais en même temps j'avance, poussée par une force invisible en totale contradiction avec ce que le mental peut m'envoyer comme informations. Durant cette période de flottement, j'ai la grâce de faire parfois la sourde oreille à ce mental et aux peurs qu'il engendre. Les étapes se succèdent favorablement, sauf au moment de la vente de ma part de cabinet chez le notaire. Là, je découvre la vraie nature de mon associé. Une petite voix intérieure que j'avais fait taire m'avait prévenue dès le début de notre association. Les magouilles et la mauvaise foi de la part de cet « associé » me confirment que je n'ai vraiment pas à regretter de partir.

Au bout de six mois, je trouve un successeur sans problème, et décide de partir m'installer sur la Côte d'Azur (je ressens le besoin de retrouver la lumière d'un sud lointain où je suis née). Là-bas, je me sens capable de me lancer dans un projet tout neuf. J'y ai déjà quelques amis, et tout se met en place extrêmement rapidement. Logement, cabinet, etc. C'est ainsi que je démarre une activité de thérapeute en santé globale et que je commence à travailler sur des problèmes de surpoids chez mes patients, en associant des techniques homéopathiques à des stimulations de points de digipuncture. Je ne veux plus piquer : ce sera les doigts et, si besoin, les moxas (de petits cigares d'armoise qu'on chauffe et qu'on approche des points pour aller chercher l'énergie déficiente). Les aiguilles ne me plaisent pas, de même que les pratiques de l'ancien cabinet où j'exerçais mon art : on pique son malade et on s'en va... et quinze minutes, plus tard, la secrétaire vient enlever les aiguilles. Je ne voulais plus passer ainsi de box en box ! Tout ça manquait pas mal d'Amour et je le cautionnais, que je le veuille ou non.

Depuis mes débuts à l'hôpital, depuis mon premier patient jusqu'à ma récente reconstruction professionnelle, il s'est passé onze ans de médecine, pendant lesquels d'autres réalités que « la » réalité médicale m'ont bien des fois surprise, déboussolée, jetant à bas mes certitudes. Finalement, la vie m'a enseigné que je ne savais pas grand-chose... En tout cas, pas l'essentiel. Il y avait d'autres avenues dans l'art médical,

dans le jeu même de la vie et de la mort, que je ne connais-
sais pas, alors que j'étais censée « maîtriser » ces réalités
parfaitement ! Un contresens profond m'apparaissait : on ne
maîtrise rien… alors qu'on croit maîtriser.

Ce qui guérissait vraiment les patients n'était certainement pas ce qu'on leur donnait. Je me trouvais parfois auda-
cieuse de penser ainsi, je me censurais encore, mais en même
temps, j'ouvrais tout grand mon esprit à autre chose, autre
chose que j'avais goûté de façon brève, voire fulgurante, dans
ces expériences fortes que la vie médicale m'avait envoyées.
Si j'en sortais bousculée, à défaut d'y mettre un nom, au
moins ce quelque chose en moi se mettait en marche.

II

Éveil à d'autres théories

L'erreur n'est pas le contraire de la vérité.
Elle est l'oubli de la vérité contraire.

Pascal

Me voilà donc à Cannes, mes diplômes d'homéopathie et d'acupuncture récemment en poche, des inquiétudes plein la tête certes, mais une drôle de certitude au fond du cœur… Il est remarquable de constater que, par des tours et détours surprenants parfois, la Vie s'organise pour nous amener là où elle veut, là où nous devons être pour continuer notre chemin initiatique. La vie est un voyage pendant lequel nous apprenons à retrouver l'Être qui nous habite. Pas la « personnalité », c'est-à-dire le masque que nous choisissons d'endosser (*persona* : le masque porté par les acteurs au temps de la Rome antique). Masque de médecin, d'enseignant, de boulanger, quel qu'il soit, celui qui correspond à nos goûts, aux dispositions vers lesquelles notre éducation, la société et encore d'autres facteurs nous ont plus ou moins poussés. Non, l'Être qui nous habite et que nous ne connaissons pas. Ce plus grand que nous en nous qui essaie de s'exprimer, qui nous pousse irrésistiblement et que nous n'identifions pas sur-le-champ, ou que très tard « grâce » à un aléa comme la maladie ainsi que j'allais le découvrir dans les années à venir.

En tout cas, à l'époque, je n'identifie rien, je ressens et j'observe ce qui se passe encore une fois *à travers moi*.

Et je vis un véritable acte de foi : la clientèle va venir même si je ne suis plus dans le cadre de la médecine conventionnelle. Les cadres, j'ai toujours eu du mal avec ! Mais là, ça y est, j'ai tout lâché et je suis sans filet. Je découvre la technique de visualisation sans savoir que ce que je fais instinctivement porte un nom de technique. Oui, je crois fermement à cette façon de travailler et je m'endors le soir en visualisant mon agenda professionnel bien garni.

Comme m'a dit des années plus tard un patient : « Mais enfin, vous aviez renoncé à votre titre ! » Renoncé à travailler dans un cadre, oui ; mais le « titre », je l'ai eu avec mon diplôme, et encore plus avec mes patients. À partir de là, j'entends exercer cet art librement, en suivant un souffle qui m'emportera je ne sais où, mais qui vivifiera autant mes patients que moi. Je n'avais pas lu encore à l'époque le livre de J.-Y. Leloup sur les thérapeutes, livre d'ailleurs qu'il n'allait écrire qu'un an plus tard ; mais comme monsieur Jourdain qui fait de la prose sans le savoir et sûrement avec la même maladresse, je m'essayais à devenir un vrai thérapeute.

Par contre, je « tombe », et le mot n'est pas trop fort, sur les livres de Jeanine Fontaine. Cela me fait du bien de voir une consœur parler d'autres pratiques. Ses écrits me fascinent et maintiennent mon esprit dans l'ouvert. J'ai souvent un peu le vertige, car je pressens qu'il y a un monde infini à découvrir et je ne sais pas comment m'y prendre. On veut toujours « faire » alors qu'en fait il suffirait d'« être »…

Être vrai, plutôt que de vouloir faire vrai ou juste. Être juste et humble… et les enseignements viendront… Voilà ce que la Vie continue de m'apprendre par l'intermédiaire de mes patients. Les circonstances se mettent en place pour nous faire avancer.

Les nouvelles allées de la connaissance

La nouvelle médecine

Effectivement, j'entends parler d'un médecin allemand, le docteur Hamer, qui a fait, semble-t-il, des découvertes extraordinaires. Intriguée, je m'inscris à une formation complète de cet enseignement.

Là, je découvre une fois de plus un autre monde. L'enseignement est dispensé par un de ces «dieux-médecins» qui ont repris les théories du docteur Hamer. Les élèves venaient à l'époque de tous les horizons. Patients, mères de famille, psy, et de rares médecins, qui considèrent cela comme une vaste fumisterie... Si la personnalité du «dieu» me gênait, ce qui m'était apporté comme enseignement chamboulait totalement les quelques certitudes qui me restaient et résonnait en même temps tellement juste sur un autre plan de compréhension. C'est un peu comme si je retrouvais des connaissances déjà enfouies quelque part en moi, comme lorsque, jeune interne auprès de mon maître, j'avais brusquement l'intuition de penser juste et de grandir. (Tout le miracle en revenait à celui qui avait su réveiller en moi une attention particulière.)

Par contre l'utilisation de la théorie de M. Hamer comme seul outil thérapeutique par des personnes totalement dépourvues d'un minimum de connaissances médicales m'affolait.

Ce docteur Hamer avait, sur des centaines et des centaines de dossiers, mis en évidence une relation directe entre

nos ressentis et les foyers cérébraux responsables du déclen-
chement de nos pathologies. Il était en train de démontrer
à la face du monde occidental que les ressentis menaient
la danse dans un contexte anatomo-biologique très bien
cadré par ailleurs, mais totalement déstabilisant par rapport à la médecine conventionnelle. Même s'il a été reconnu
par ses pairs en Autriche, la communauté médicale lui a
brutalement tourné le dos. Il faut avouer que, si ses découvertes, qu'on le veuille ou non, révolutionnaient la façon
d'appréhender les patients, l'usage qui en a été fait, a été trop
souvent disproportionné. En effet, certains ont envoyé par-
dessus les moulins toute la médecine classique, ne jurant
que par la médecine nouvelle !

Et c'est là où l'on retrouve les mêmes erreurs d'un côté et
de l'autre de la médecine. Ceux qui critiquent la médecine
classique souffrent trop souvent du même extrémisme que
ces médecins dits classiques qui ne veulent pas entendre
parler d'autre chose.

*La politique du tout ou rien est aussi désastreuse dans les
deux camps.* Est-il d'ailleurs déplorable de parler de camps !
Les découvertes du docteur Hamer ont été présentées au
Collège des médecins, qui n'a rien trouvé à redire à l'époque,
mais qui pour de sombres raisons a fait volte-face.

Ce revirement est sans doute imputable aux « doux din-
gues », pardonnez l'expression, mais c'est un peu ça, qui se
sont arrogé à outrance le droit de *vouloir* guérir leur patient
d'une autre façon en arrêtant absolument tout traitement
classique. On peut comprendre l'affolement de la communauté médicale face à ces guérisseurs exaltés. Toutefois, on
ne peut occulter que des enjeux économiques menaient derrière la danse de l'opposition qui s'est déchaînée face à cette
nouvelle médecine.

L'intérêt des travaux du docteur Hamer aura été de mettre l'accent sur l'importance des ressentis dans une médecine occidentale axée exclusivement sur le physique et le rationnel. Si, depuis cinq mille ans, la médecine chinoise n'a jamais dissocié les deux, la médecine occidentale parle encore de révolution quand un des siens essaie d'intégrer ces notions dans l'analyse des maladies.

Le vrai danger a résidé dans l'utilisation qui en a été faite par des personnes dénuées de toute connaissance médicale, et dans le fanatisme qui s'y est développé. Tout fanatisme, qu'il soit religieux, intellectuel ou philosophique, est d'après moi une catastrophe.

Il est dommage que la communauté scientifique ne se soit pas mieux intéressée à ces travaux, car ils fournissaient des éléments intéressants à exploiter quant à l'impact de nos émotions sur notre physiologie cérébrale, ce qu'est en train de faire d'une autre façon la neurophysiologie actuelle. Peut-être que M. Hamer est arrivé trop tôt? À mon avis, il est regrettable de n'avoir vu en lui qu'un perturbateur, alors qu'il ouvrait une voie intéressante. Si nombre de charlatans s'y sont malheureusement engouffrés, c'est justement parce que la médecine classique a tout rejeté en bloc.

La voie du juste milieu n'était pas de mise... encore une fois.

Avec les meilleurs outils, on peut tout aussi bien tuer que guérir... C'est ce que j'allais comprendre à ma plus grande horreur en suivant cet imbroglio.

Quand donc allait-on arrêter de vouloir?

La découverte de la médecine du docteur Hamer a été pour moi un autre angle de vision des phénomènes médicaux continuant quelque part à ouvrir une voie déjà tracée par mes formations précédentes en acupuncture et en homéopathie. Mais l'exaltation de certains à vouloir utiliser *ça* et uniquement *ça* comme outil thérapeutique m'affolait. Leur confortable certitude de savoir et de pouvoir guérir aussi !

La bonne foi de beaucoup de ces prosélytes dispensant un enseignement n'est peut-être pas à mettre radicalement en doute, mais ce qu'on oublie d'enseigner dans ces séminaires-là, justement, c'est l'humilité et le sens de l'équilibre...

Ce qui me gêne dans ces attitudes, c'est que, sous couvert de redonner au patient son pouvoir, on en prend un autre, plus subtil, sur lui... et on transforme la relation patient-thérapeute en celle de sujet-gourou : un vrai danger ! Le sujet se sent totalement dépendant de son thérapeute et, en plus, se culpabilise de ne pas « guérir » assez vite, car il ne « résout pas sa problématique comme il devrait ».

Cette attitude, où le pouvoir reprend pernicieusement les rênes, n'est certainement pas une attitude de thérapeute...

Les mains voient ou entendent...

Dans le même temps, ayant décidé d'abandonner les aiguilles d'acupuncture, je découvre... mes mains !

Au départ, j'étais mue par un simple souci d'attention à mon patient, cependant je m'aperçois très vite qu'il se passe quelque chose d'autre quand on travaille avec ses mains... Je perçois d'ici le sourire de ceux qui utilisent cet outil depuis toujours...

Cela se passe au tout début de ma pratique de thérapeute. Je suis en train de soigner une patiente pour son problème de surpoids et je m'applique à faire ma digipuncture. Je m'applique peut-être trop. Entendez que j'y mets toute ma volonté (encore cette fichue volonté de vouloir guérir l'autre).

Je veux que ces points marchent rapidement, je veux que ma patiente les ressente… Je veux tant et tant que, lorsque la séance s'achève et que je raccompagne ma patiente à la porte, je suis prise d'un vertige aussi soudain qu'intense. Qu'est-ce qui se passe ? Je me sens comme aspirée dans un entonnoir. Je ne suis ni à jeun ni malade. Ce qui m'interpelle, c'est la sensation d'être aspirée…

Heureusement, je vois une fois par semaine un professeur de réflexologie qui me forme aussi à cette discipline. Myriam est une femme d'une douceur, d'une humilité et d'un savoir très grands. Elle m'explique gentiment que je suis « rentrée dans ma patiente », dans son champ énergétique. Elle me rappelle ensuite l'importance de se laver les mains après chaque soin, et ce, d'une certaine façon. Myriam met des mots sur des phénomènes que je ressentais sans les reconnaître. S'il y a véritablement quelque chose qui passe du thérapeute au patient, et pas uniquement la réaction aux points stimulés en contrepartie (et je ne m'y attendais pas), l'inverse se produit. Autre surprise à cette époque : je traite M. Z. pour un problème de lombalgie. Je m'applique toujours (!) à faire ma digipuncture et aussi un peu de réflexologie plantaire selon ce que j'ai appris ; mais alors que la séance va s'achever, je ne sais quelle impulsion m'amène à la tête du patient, et je commence à le traiter à ce niveau. Mon cerveau me dit instantanément : « Qu'est-ce que tu fais ici ? », mais mes mains y sont déjà. Bien vite, j'entends mon patient me dire : « Ah oui docteur Angelard, depuis ce matin j'ai en plus un fond de mal de tête, je ne sais pas d'où ça vient… »

Mes mains savaient des choses du patient qu'elles traitaient, alors que ma tête, qui suivait son raisonnement logique de soins, n'en avait aucune information.

Bizarre! Du coup, je me mets à travailler aussi «l'écoute intuitive».

Écoute du patient lors de sa première visite et analyse des symptômes de ses ressentis, de son histoire familiale. Écoute, regard, attention.

Lorsque le patient est sur la table, l'écoute doit continuer au moyen de mes mains. Ça, c'est to-ta-le-ment nouveau pour moi, mais je m'y abandonne, car je pressens qu'il y a là une voie juste qui s'ajoute à toutes les techniques de digi-puncture, réflexologie et autres touchers que je vais aller explorer par la suite.

De fait, notre toucher est relié à l'énergie de cœur. La médecine traditionnelle chinoise (MTC) nous l'enseigne. Le méridien du cœur passe par là. D'ailleurs, l'étymologie du mot main en hébreu a la même racine que le mot œil: nos mains voient avec le cœur comme antenne...

Nos mains reçoivent des infos de cœur à cœur, ou plutôt des infos complètes en relation avec nos deux hémisphères. La main gauche et la main droite = l'intuitif et le rationnel. La synthèse de ces perceptions passe par nos *deux* mains. Somme toute, les analyses les plus savantes ne tiennent compte que d'une moitié de la réalité: la partie consciente, logique, reconnue (tout ce que nous savons est fini, tout ce que nous ne savons pas est infini), et une partie de cet inconnu se situant dans l'autre hémisphère, dans notre monde inconscient. Nous en captons assurément un peu par le toucher...

Ce sont mes patients qui m'aident par leur confiance et leurs commentaires.

Les autres allées et les ornières...

Découvrant un jour la fascia thérapie, je repars dans des cours sur cette douce technique absolument fascinante et profonde. « Ça y est. Je tiens la bonne technique… » En même temps, une amie me parle d'une autre technique encore plus extraordinaire : la trame.

Je vais à l'époque de formation en formation, traversant parfois la France pour suivre ces cours tout en continuant ma consultation.

Et dans ces cours, s'il est vrai que je continue à me développer, le fait est que je rencontre également un grand nombre de gens perdus qui essaient de se sauver de leurs misères… et toujours des « maîtres » ! Je ne compte plus les querelles de clochers entre qui a inventé la méthode et qui l'a falsifiée… Un jour, j'en rencontre un à Marseille qui essaie de me faire croire en entretien de « préinscription » que grâce à sa méthode, il a pu trouver la clé de l'élixir de jouvence ! Bien entendu, moyennant toute une formation avec lui, il me promet la jeunesse éternelle. (Cela doit avoir un rapport avec l'histoire de la sardine qui bouche le port de Marseille, que les Marseillais me pardonnent !)

Je repars de là totalement abasourdie de constater le pouvoir auquel ces types-là essaient de recourir pour se prouver qu'ils existent… Et sur ma volonté tout aussi bête de chercher encore et encore la formation géniale.

Avez-vous remarqué que les vrais maîtres ne s'arrogent jamais ce titre. Ce sont leurs élèves qui les reconnaissent. En revanche, le nombre de thérapeutes qui se disent maîtres est en augmentation exponentielle.

À leur point de départ, ces personnages se contentent de transmettre une méthode ; à l'arrivée, ils sont devenus rien de moins que des gourous… Le syndrome du sauveur les a pris dans son filet. À vouloir à tout prix (justement !) enseigner ce qui ne s'enseigne pas et à vouloir de la même façon que leur formule convienne à tout le monde, ils basculent dans le domaine du pouvoir, se coupent pour de bon de l'Amour.

Pour ma part, je peux affirmer que ces différentes formations que j'ai suivies, m'ont toutes été utiles, certaines plus que d'autres, bien entendu. Toutefois, presque toujours, j'ai été déçue par la présence d'un fanatisme récurrent. Refusant d'adhérer inconditionnellement à la solution unique, à la pensée magique ou à la technique infaillible, j'étais immanquablement le vilain petit canard du groupe.

Il n'empêche que je revenais vers mes patients avec une attention plus aiguisée et une certitude revigorée que c'est dans l'attention et l'écoute que se trouvait la clé de leurs problèmes. À présent, je travaille successivement autant avec mon cerveau qu'avec mes mains, lesquelles s'en vont faire leurs points thérapeutiques, mais aussi vont écouter différemment, et parfois rester plus longtemps sur certaines zones. Et je ne me pose plus trente six mille questions.

C'est quelque part très reposant pour le mental, d'autant que je m'aperçois que les mains ne se trompent jamais.

À la lumière de ce que j'ai pu observer dans ma pratique régulière, je me demande si nous n'avons pas perdu quelque chose d'essentiel que nos professeurs pourtant nous avaient enseigné déjà, trop rapidement, certes. Dans notre formation de médecin, il nous avait pourtant été dit d'aborder un patient selon un plan bien précis :

1) *anamnèse* : c'est-à-dire l'interrogatoire ;
2) *inspection* : regarder son patient ;
3) *auscultation* ;
4) *palpation*.

Ce n'est qu'après ces quatre phases qu'on pouvait envisager des examens complémentaires.

Quelques années après, l'abord du patient a de toute évidence considérablement changé.

Au détriment des quatre stades préliminaires, pourtant si utiles, on passe trop souvent directement aux examens complémentaires. Ces règles élémentaires injustement déclassées, je les retrouvais dans les approches différentes de la médecine que j'explorais.

Je reste persuadée qu'il n'y a pas une médecine classique et une médecine douce, ou exotique ! Il y a une bonne médecine et une mauvaise.

Plus exactement, de bons médecins et de mauvais. Les médecines douces ont leur part de mauvais praticiens tout comme on retrouve un bon nombre de vrais médecins de cœur dans la médecine classique. C'est un credo que je défends toujours, ce qui est facile d'ailleurs.

Oui, j'ai délaissé la pratique classique de la médecine parce qu'elle ne me permettait plus d'exercer comme je l'entendais, mais je ne renie absolument pas l'enseignement de mes patrons. Oui, je suis allée voir dans d'autres écoles, j'y ai appris encore beaucoup et j'en remercie mes formateurs. Par ailleurs, j'ai constaté les limites de ces enseignements, et surtout que la force de l'ego et la volonté de détenir la vérité pouvaient être catastrophiques. Si au lieu de vouloir avoir la vérité, on essayait juste d'être vrai et de laisser être ce qui a à être... Cette réflexion est toujours d'actualité dans la médecine d'aujourd'hui, mais aussi dans la société en général.

Je découvre tranquillement, comme monsieur Jourdain, qui fait de la prose sans le savoir, qu'il n'y a pas de voie unique et que la solution est bien la voie du milieu enseignée par la philosophie chinoise. Le Tao indique de se méfier des extrêmes.

Dans cet esprit, il faut toujours revenir à son patient, car c'est à travers lui que le traitement se réalise... Il y a là une alchimie qui souvent nous échappe. C'est ainsi que tel traitement marchera remarquablement pour M. Dupond et beaucoup moins pour M. Durand, qui présente pourtant les même symptômes... Oui, mais l'histoire de M. Dupond et celle de M. Durand sont différentes, leur physiologie aussi, leur milieu, etc. Ce sont mes patients qui m'ont appris cela.

Autre chose... qui a toujours été là

Dans ma pratique, l'avantage de l'écoute et du toucher thérapeutique, c'est qu'il crée une relation tellement plus riche avec mes patients. Je redeviens ce qu'était le vrai médecin de famille d'antan. Je n'ai strictement rien inventé dans cette approche : je me situe dans une lignée de thérapeutes qui prennent les moyens de bien connaître leurs patients. C'est tout. Il m'a fallu passer par d'autres voies que la médecine classique qui m'a formée initialement, mais essentiellement je m'en tiens aux quatre phases entendues dans mes premiers cours de médecine et je les développe. Ma formation classique me permettant de ne pas oublier la cinquième, celle des examens complémentaires lorsque nécessaire.

À la faveur du temps qu'il accorde à ses patients, le médecin grandit. De la qualité de la relation qui s'établit là va dépendre la réussite du traitement. Réussite ne voulant pas toujours dire guérison, mais ça je ne le sais pas encore...

Dans mon cas, ce qui se passe par contre de plus en plus maintenant au cours de mes consultations, c'est que nous

sommes souvent trois : le patient, moi le thérapeute, et puis...
autre chose d'invisible, mais de très fort, qui me fait parfois
m'entendre dire ceci ou cela au patient. Quinze secondes
auparavant, je ne savais pas comment aborder tel ou tel
point, ou quelle priorité j'allais donner à mes questions, mais
hop ! je m'entends prendre la parole... et je ressens que mon
intervention est juste. Ce quelque chose, c'est ce que j'appelle
la relation, l'état de grâce presque, qui peut se produire. Et
je sens bien qu'il se passe quelque chose de fort *qui passe à
travers moi encore une fois et qui va toucher l'autre au cœur*.
Et quand « ça se passe », je suis sûre d'être tombée juste.
Ça y est, je suis en train de passer du verbe avoir au verbe
être... Très imperceptiblement, je ne cherche plus à avoir la
solution, mais à être au plus juste avec mon patient... Cela
s'est fait à mon insu, mais je commence à l'éprouver avec
émerveillement.

Le mot n'est pas trop fort, car maintenant j'aborde une
consultation dans un état différent. Je ne m'inquiète plus
d'avoir le bon traitement, mais de ce que je vais *rencontrer*
dans cette consultation. Quel enchevêtrement de souvenirs
et de douleurs va-t-il falloir dénouer pour libérer l'autre ?

J'assiste parfois à une communion d'où je ressors aussi
grandie et émue que mon patient. Il s'est passé un authenti-
que échange, et quelque chose s'est dénoué.

En acupuncture, la maladie est un arrêt de circulation
d'énergie : le Qi ne circule plus, provoquant des troubles
physiques ou psychiques. Guérir son patient, c'est déjà commencer à le remettre en marche, à refaire circuler l'énergie.
Et dans ces consultations où l'attention à l'autre est prédo-
minante, il se passe véritablement quelque chose qui n'est
pas du ressort de la volonté du médecin. Ce quelque chose,
je commence à l'appeler de « l'Amour ».

Mais le mot a tellement de signifiants qu'il fait peur quand il ne fait pas rire....

Pourtant, après certaines de ces consultations, j'ai vraiment eu ce ressenti de grâce, d'ouverture du cœur qui avait permis une voie de passage vers la guérison. Et je peux vous assurer que lorsque cela se passe, vous ne doutez plus. Vous savez que la guérison est à l'œuvre. Et en même temps, c'est tellement fort que vous savez aussi que vous n'êtes pas l'auteur de cela, juste un des acteurs : vous n'y avez que participé, et vous êtes tout simplement heureux.

Malgré moi, j'embarque donc dans ce voyage-là, téléguidée par mes patients et mes lectures.

Lectures, rencontres, patients, le tout me fait grandir.

Je pense notamment à la consultation de Mélissa, une fillette de cinq ans extrêmement vive. Sa mère me l'amène en désespoir de cause, l'école lui ayant conseillé de la médicaliser pour enrayer son hyperactivité, ce que la femme ne souhaite pas. Certes, Mélissa ne tient pas en place et souffre parfois de cauchemars, mais par ailleurs, elle est en grande forme. J'entame donc une approche professionnelle auprès de ce petit bout de fille, effectivement adorable avec sa forêt de boucles brunes surmontant deux yeux extrêmement malicieux.

Dans un premier temps, ma consultation homéopathique se fait à la recherche de son terrain, mais aussi de son histoire transgénérationnelle. J'apprends ainsi que, quand Mélissa était dans le ventre de sa mère, sa grand-mère maternelle était en train de partir d'un cancer. Autrement dit, la jeune future maman vivait simultanément la mort de sa mère et la gestation de sa fille... J'apprends aussi que Mélissa éprouve une fascination particulière pour tout ce qui touche à la mort, les cimetières entre autres, et pose beaucoup de questions sur le sujet à son entourage.

J'interroge Melissa sur ses goûts alimentaires, ses couleurs préférées, etc.

« Te souviens-tu de tes rêves ?

— Oui !

— Ah ! Et à quoi rêves-tu ?

— Ben ! Aux tortues Ninja et à Jésus-Christ… »

Les tortues Ninja, là vraiment je suis un peu courte, mais Jésus-Christ, il y a de quoi explorer… Donc j'y vais.

— Ah oui, et qu'est-ce qui se passe avec Jésus-Christ ?

— Ben, il est mort !

— C'est vrai, mais tu sais que l'histoire continue après sa mort. Sais-tu ce qui est arrivé après ?

— Non.

— Eh bien, il est ressuscité…

Allez expliquer à un petit bout de femme qui ne tient pas en place ce que c'est que la résurrection… Un coup d'œil à la maman me confirme que je peux continuer dans cette voie et tenter de le faire.

Je m'essaie donc lamentablement à révéler à cette petite fille que la mort n'est pas la fin de l'histoire et que le Christ est venu enseigner ça. Je n'ai aucun succès. L'enfant semble ne pas écouter et revient toujours sur le même thème qui semble la préoccuper beaucoup.

— Oui, mais il est mort, on le voit plus. La mort, après, y a plus rien…

Tout d'un coup, je m'entends lui demander :

— Tu connais les papillons ? Tu sais comment ils viennent au monde ?

— Ben oui! me répond-elle condescendante, me donnant la très nette impression d'être pour elle une vieille «schnock» stupide.

— Eh bien, tu vois, la mort, c'est pareil : un beau matin les chenilles sont toutes tristes parce qu'elles trouvent l'enveloppe, la chrysalide vide... Leur copine chenille est morte ; sauf qu'elles ne voient pas le beau papillon qui vole au-dessus de leur tête. Leurs yeux de chenille ne peuvent pas le voir. Pour nous, c'est un peu pareil. Lorsqu'on meurt, on laisse notre corps comme si c'était une vieille enveloppe, mais notre âme continue d'exister quelque part où nos yeux ne peuvent pas la voir. Pourtant, nous, les humains, notre cœur peut rester en contact avec l'âme de ceux qui sont partis. Ça ne se voit pas. Mais ça existe. La mort, c'est un peu l'âme en dehors du corps.

Et pendant ces quelques minutes, j'ai eu, tout ouïe devant moi, une Mélissa bien calme. Elle avait arrêté de remuer dans tous les sens et captait quelque chose d'essentiel pour elle. Ce n'était plus la petite fille turbulente, mais un cœur, des yeux et des oreilles tout grands ouverts et sereins. Sa maman et moi en avions des frissons. Il s'était passé quelque chose, de toute évidence. J'avais trouvé «par hasard» la bonne approche pour démystifier la terreur de la mort que cette enfant avait vécue dès les premiers mois de sa conception.

Cela peut paraître sommaire comme explication, mais je me suis vraiment «entendue» la formuler. Je ne savais pas où je m'en allais dans cette consultation. Et je vous assure que capter l'attention d'un petit bout hyperactif qui n'a que faire de vous écouter, et tomber pile sur une réponse que cette enfant cherchait furieusement depuis des années, ça tient un peu du miracle... On avait libéré Mélissa d'un gros poids de peurs, de chagrins, d'inquiétudes. Je dis bien «On», pas moi.

C'était encore passé à travers moi...

Alors, oui, je lui ai tout de même prescrit un traitement de fond homéopathique, mais je reste persuadée que le gros du problème s'était dénoué là, pendant la consultation...

Et je crois bien avoir donné un traitement autant pour me rassurer que pour répondre à une attente. Le pouvoir de la prise du remède ! Certains l'appellent l'effet placebo. Un jour viendra où l'on découvrira dans le fonctionnement de notre cerveau ce qui se passe dès lors et qui déclenche le phénomène de guérison. La toute-puissance de la chimie pourrait bien perdre sa suprématie !

Pour le moment, je suis en train d'apprendre que, s'il n'y a pas de remède miracle, il y a peut-être des « paroles miracles ».

Le constat que ce que je prescris n'a peut-être pas tant d'effet que ça ne manque pas de me troubler. Mais alors ?...

Les études de transgénérationnel, l'approche holistique par l'homéopathie, la médecine chinoise, et aussi la symbolique du corps humain, tout cela me sert à décrypter les nœuds de mémoires et de chagrins venus faire le lit des pathologies... et mettre en lumière la part d'ombre qui est là, le blocage de Qi. Une fois cette étape franchie, quel traitement administrer ?

Oui, bien sûr, je continue celui en cours, et qui est bien toléré, par exemple pour une hypertension ou autre déséquilibre métabolique. Mais au fil de mes consultations, même si je relance le système immunitaire de tel, ou si je « nettoie » les toxines de tel autre, ce qui se passe de plus en plus aussi, c'est une prise de conscience et un regard qui change pour le malade face à ce qui lui arrive. J'ai de plus en plus cette impression, très dérangeante pour un médecin, que la thérapeutique à laquelle je recours n'a finalement pas grande importance. Mon cerveau repousse toutefois encore cela. J'embarque un peu malgré moi dans ce voyage-là, grâce à mes patients et aussi à mes lectures.

III

La roue de la VIE

L'immobile se disperse, et le mouvant demeure.

Hymne shivaïque

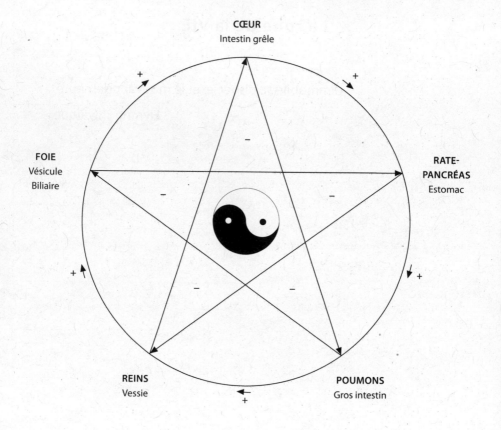

Tableau des cinq éléments

	ÉTHER Poumons	EAU Reins	BOIS Foie	FEU Cœur	TERRE Rate-pancréas
PERSONNAGE	Brel et Barbara	Personne de pouvoir	Le danseur L'artiste	Sœur Emmanuelle Personne de cœur reconnaissable à un sourire et un regard d'enfant = totalement bonne	Le comptable
COULEUR	Blanc – bleuté	Noir	Vert	Rouge	Ocre
ÉMOTION	Tristesse – nostalgie	Peur – volonté Énergie créatrice Énergie ancestrale	Appropriation = problématique du manque Le foie fait passer les molécules venues de l'extérieur : bol alimentaire, ou médicaments, vers l'intérieur : le sang.	JOIE AMOUR	Raisonnement Sens de la mesure
SAISON	Automne	Hiver	Printemps	Eté	Inter saisons
GOÛT	Épicé	Salé	Acide	Amer	Sucré
APPAREILS	Respiratoire Peau Système neuro-végétatif	Uro-génital Os – dents Cheveux - oreilles Territoire	Muscles – tendons Yeux – veines Capillaires Ongles Parole	Artères Cœur	Tissu lymphatique Tissu conjonctif Système hormonal féminin
SENS	Olfaction	Ouïe	Vision	Toucher – chant	Goût

Nos connaissances sont utiles, indispensables même, mais pas suffisantes !

C'est lorsque nos cinq éléments sont en harmonie au cours d'une consultation qu'il va se passer quelque chose d'essentiel ; quelque chose qui est de l'ordre de la remise en marche, au sens propre autant que figuré.

La loi des cinq éléments en médecine chinoise est la base de la vie, de la santé

Elle fait appel à ce que les Chinois appellent les organes trésors que sont les poumons, les reins, le foie, le cœur et l'ensemble rate-pancréas.

La richesse de la médecine traditionnelle chinoise (MTC) est d'avoir mis en relation les émotions et les organes, ainsi que des correspondances de sons, de couleurs et de goûts, pour chacun de ces cinq organes trésors.

Les poumons : lieu des automatismes neurovégétatifs, c'est-à-dire toutes les commandes automatiques du corps qui se sont mises en route dès notre naissance : fréquence respiratoire, péristaltisme intestinal, etc.

Ils sont aussi au niveau émotionnel le siège de la nostalgie. On les relie à l'élément éther. L'éther est un espace où tout est encore en suspension, en potentiel. En fait, l'énergie créatrice se manifeste d'abord dans le monde matériel par notre premier cri, notre première respiration et prend fin à notre dernier souffle.

Organe de l'incarnation, s'il en est, cet organe double relie mieux que tout autre les principes de Vie et de Mort. Dans cet espace entre inspiration et expiration, il est un petit temps de vide, qui en fait peut être aussi un espace ouvert sur une autre dimension, sur cette « fine pointe de l'âme », sur un passage pour y accéder. Toutes les traditions méditatives vont explorer cela et de « la claire lumière » des traditions orientales, au « noüs », à cette fine pointe de l'âme de Maître Eckhart, toutes se rejoignent devant ce mystère du souffle qui ouvre une porte vers une conscience plus grande.

Lieu où s'ancre la vie et lieu d'échanges vitaux.

En plus d'assurer la fonction respiratoire, l'énergie des poumons, en MTC, a sous sa dépendance tous les automatismes neurovégétatifs qui se sont mis en marche à notre naissance. En outre, elle conditionne la peau (lieu d'échange, comme les poumons sont le lieu des rapports entre le O_2 et le CO_2) et l'olfaction. Il est intéressant de remarquer que notre peau (« ce qu'il y a de plus profond chez l'homme », disait Paul Valéry) a une relation étroite avec l'énergie du poumon. Véritable enveloppe de l'être qui nous habite, elle en traduira donc aussi les pathologies : les toxines non éliminées, les problématiques d'échanges de l'extérieur vers l'intérieur qui se font plus ou moins bien.

L'olfaction est un sens archaïque, qu'on entende par là très ancien (et non pas grossier). Notre capacité à décrypter les odeurs, notre mémoire olfactive reliée à notre cerveau limbique et à notre épiphyse constituent un autre phénomène physique contrôlé par l'énergie du poumon.

Nostalgique, l'olfaction peut emmagasiner la mémoire d'un paradis perdu ; elle nous fait aspirer à autre chose.

La nostalgie d'un monde perdu…

Inspirer. Expirer. Notre vie est basée là-dessus ; et au creux de cet échange se trouve une voie de passage vers l'autre dimension.

Toutes les techniques de relaxation et de méditation y recourent. Toutes les traditions ont ce point d'ancrage qui est tout autant début que fin.

Il faut donc inspirer et expirer pour reprendre ce fil d'Ariane qui s'appelle la Vie, nichée pour sa part au cœur de nos cellules et qui s'exprime à chaque respiration. En portant attention à cela, nous nous connectons à notre essence véritable, à notre parcelle d'énergie sacrée qui « ex-iste », c'est-à-dire qui est extérieure à cette matière, mais reliée à elle.

Chaque fois que le mental ne peut aller plus loin, si simplement on songeait à inspirer légèrement et subtilement, puis à expirer toute la lourdeur qui nous pèse et nous oppresse…

Nous devons en ce XXIe siècle retrouver cet exercice si simple : respirer largement. Et pourtant nous ne savons que trop à quel point nous sommes souvent bloqués dans notre respiration, coupés de notre essence !

Revenir dans le cercle (schéma)

C'est à travers nos poumons que le « Souffle » de vie a commencé à circuler en nous, qu'il continue de le faire et qu'il cessera éventuellement d'animer la matière qu'est notre corps… pour s'en aller rejoindre le grand Tout.

Pas étonnant enfin qu'accompagner celui qui quitte cette vie-là se fait souvent en écoutant son souffle en silence : lorsque les mots sont devenus inutiles, joindre son souffle à celui de l'autre s'avère une ultime présence à l'autre.

Les reins, lieu de l'énergie ancestrale (toute notre histoire familiale) et de l'énergie créatrice : émergence de la puissance (sexuelle entre autres). Leur élément est l'eau.

La vie s'ancre dans l'eau.

Les reins portent le germe de tout le potentiel créatif de l'individu. Il revient à ce dernier de faire circuler et croître cette énergie. Or, bien des gens la bloquent en voulant prendre le contrôle.

Ils sont par ailleurs le siège des volontés, mais aussi des peurs, et enfin, ils tiennent sous leur dépendance les os, les dents, les cheveux et l'ouïe.

Parlant de la volonté, elle est nécessaire ; la peur aussi, car c'est elle qui nous enseigne la prudence. Tout est une question de mesure...

Quand on veut à tout prix (le terme est bien choisi...), on se coupe totalement de l'énergie du cœur et on provoque exactement l'inverse de ce qu'on cherche au départ. L'excès de contrôle, que d'aucuns appellent volonté, se transforme très vite en extrémisme et en intolérance. Avec les meilleures intentions du monde, on devient totalitaire... Peu importe qu'on veuille absolument le bien, la guérison d'un patient ou autre chose, on retombe dans des abîmes de noirceur, car on est coupé de la source... La source étant le cœur, l'Amour.

Selon la loi de rétro-contrôle de ces cinq éléments, un déséquilibre sur un des organes vitaux freinera celui qui est en face.

À titre d'illustration, on n'a qu'à observer sur le schéma (p. 58) ce que crée un déséquilibre sur les reins. On voit bien qu'il nous court-circuite de l'énergie du cœur, le Qi ne circule plus librement, et on ne reçoit plus comme il se doit l'énergie du cœur.

Dans cette compréhension-là, on peut mesurer tous les intégrismes qui polluent notre planète : intégrisme religieux, politique, scientifique.

Dans une échelle moins extrémiste, on peut inclure le fait de vouloir à tout prix rencontrer l'Amour. Cette quête effrénée entraîne d'autres perversités : en se coupant de l'énergie que l'on cherche, on multiplie les « partenaires », on se limite à une sexualité vide de sens, car vidée du sentiment d'Amour. Cela donne à répétition des performances sexuelles sans véritables rencontres... On emploie alors un vocabulaire de sportif, pas d'amoureux... On «fait l'amour» comme on fait de l'exercice. On n'est plus dans l'état amoureux. On n'est plus amoureux: on fait l'amour. Que le verbe être est malmené dans nos sociétés! Il est temps d'essayer de le réhabiliter.

À force de vouloir «tomber amoureux», on va tomber, oui, en bas de nos illusions et de notre pseudo-pouvoir, et ça fait mal.

Et si on essayait «d'être en amour»... pour monter un peu à d'autres altitudes!

Être en amour du beau, de la vie, de l'autre: toute une école de pensée à restaurer.

Le foie: lieu de l'énergie bondissante, car il tient sous sa dépendance les muscles et les tendons. Il est aussi le maître de la vision. C'est l'énergie du foie qui la contrôle.

Le foie est le lieu qui nous parle d'appropriation, de la capacité à *faire sien*. Pour qu'une molécule chimique ou qu'un nutriment soit fait nôtre, c'est-à-dire pour qu'il passe dans notre sang, il faut qu'il franchisse la barrière du foie. Autrement dit, nos difficultés à faire nôtres nos pertes profondes, nos manques, vont léser le foie en perturbant notre vision: quand on a tout perdu ou perdu quelque chose de très cher, on ne voit plus clair... Entre autres, il est des hépatites qui se déclenchent lors de la perte brutale d'un amour, d'un foyer, d'un pays. Même si le virus est là dans le sang, ne l'a-t-on pas rencontré justement à un moment où le corps n'en pouvait plus de perdre, de ne pas pouvoir faire sien? Je pense à Jean qui a contracté une «méga» hépatite à la suite d'une rupture avec la femme qu'il aimait profondément, rupture qu'il s'était infligée pour essayer d'être en accord avec son mental.

Le foie tient aussi sous sa dépendance énergétique les capillaires, les veines, les ongles et la parole. Ces notions nous permettent ainsi d'aller plus profondément dans la thérapie de problèmes musculaires, veineux, et digestifs.

On associe trop souvent la colère à l'énergie du foie. Ce n'est pas exact : la colère est le siège de la vésicule biliaire, viscère *yang* couplé à l'organe profond *yin* qu'est le foie. Dans les couples *yin-yang*, le viscère *yang* protège l'organe *yin*, c'est-à-dire qu'il réagit avant lui. Il est tourné vers l'extérieur : la vésicule sécrète les sels et pigments biliaires dans la circulation pour une meilleure digestion. Le foie synthétise des hormones, des vitamines utiles à la construction interne du sujet et fait passer dans le sang les éléments « sélectionnés » par l'intestin grêle. Il fait passer les aliments ou autres substances venues de l'extérieur et réduits en molécules par le processus digestif vers l'intérieur : le sang. Au final, il fait siens les éléments provenant de l'extérieur.

L'élément relié au foie est le bois.

En état d'harmonie, le foie nous donnera la capacité à « voir » le projet important qui nous habite et à « rebondir » dans la vie.

Le cœur : lieu de l'énergie d'amour; il est le pâle reflet de l'énergie céleste descendue dans la nature humaine. Notre « cœur empereur » (selon la MTC) est tendu un peu comme un miroir vers les cieux, et nous renvoie cette énergie à l'intérieur de nous... Le cœur empereur est cette parcelle, immortelle et sacrée, d'énergie divine en nous et le cœur ministre, de son côté, gère la fonction cardio-artérielle de notre corps. Si nous nous souvenions plus souvent de notre cœur empereur, celui dont l'énergie se manifeste particulièrement dans le toucher et le chant? C'est lui qui nous met en relation avec ce qui est plus grand que nous en nous.

Son énergie est bienfaisante pour peu qu'on laisse circuler à travers nous le flot de vie qui nous habite. C'est cette énergie du cœur qui nourrit le mental...

L'énergie de notre première inspiration tire sa force et ses mémoires des reins. Mise en mouvement dans le foie, elle s'épanouit, voire « se sanctifie » dans le cœur au sens premier du terme, c'est-à-dire qu'elle reçoit une étincelle sacrée, avant d'aller nourrir le mental et retourner enfin au poumon, où elle prend son inspiration suivante... Ceci de notre premier cri jusqu'à notre dernière expiration.

L'énergie du cœur tient sous sa dépendance les artères et le sang artériel. Le sang ne transporte pas que de l'oxygène... il est aussi porteur de mémoires génétiques — phénomène bien connu des hématologues — et d'une énergie plus subtile. À l'instar de leur fondateur Still, les ostéopathes appliquent cet aphorisme plus profond qu'il n'en a l'air: « Le rôle de l'artère est absolu. » Le sang artériel est celui qui nourrit et répare les cellules. Or, toutes sortes de blocages peuvent affecter une zone, que ce soit d'ordre mécanique ou métabolique. Si on arrive à l'irriguer de nouveau ou à désintoxiquer le sang artériel des substances poisons emmagasinées, le corps sera capable de se régénérer.

C'est cette énergie du cœur qui nous relie à notre parcelle d'énergie céleste, qui nous rend plus grands, qui en bout de ligne nous fait toucher une autre dimension, celle du beau, de l'indicible: la parole et le visible se rattachent au foie; le chant et l'invisible, au cœur.

« On ne voit bien qu'avec le cœur. L'essentiel est invisible pour les yeux » (Saint-Exupéry).

L'élément lié au cœur est le feu. Dans toutes les traditions, ce dernier représente le sacré, le divin : insaisissable, il réchauffe et éclaire. Si d'aventure, on essaie de le retenir, tel Icare s'approchant du soleil pour le posséder, on se brûle les ailes. Il faut admettre qu'on ne possède rien ni personne. On ne fait, sa vie durant, que participer à un mouvement, une danse sacrée qui se joue selon son propre rythme. Dès que l'on essaie de retenir les choses, d'en arrêter le cours, on tombe… malade ou en bas de ses illusions…

Pour garder son harmonie, le secret est bien de participer à la vie, la sienne pour commencer, laquelle s'inscrit dans une plus grande, celle de l'humanité tout entière, et de ne pas les mettre en équation pour reproduire ensuite ses propres désirs de façon codifiée et stratégique. L'état de santé est mouvement, fluidité. L'homme moderne paie cher son besoin de contrôler, de mettre en équation la vie tout comme sa volonté de maîtrise. Le XXIᵉ siècle est en train de l'amener à sortir de cet enfermement (enfer ?) et de lui faire retrouver, plus ou moins maladroitement, un peu plus de fluidité, un peu plus de « laisser être », juste laisser être…

Bref, le cœur incarne le lieu de l'Être, quand les reins et le foie sont celui du vouloir et de la mise en mouvement…

La rate et le pancréas : Cet ensemble relié à l'énergie de la matière, de la terre, est le siège du sens de la mesure. En état d'harmonie, son énergie est une énergie de « centrage », d'équilibre. Il est de plus le lieu de stockage de la matière : il tient sous sa dépendance notre tissu conjonctif et le système lymphatique, ainsi que la régulation du système hormonal féminin. C'est l'énergie de la Mère. La terre nourricière.

Enceintes, terres d'accueil pour la Vie, les femmes sont en plénitude au niveau de l'énergie rate-pancréas.

Un déséquilibre rate-pancréas entraînera un excès de rumination intellectuelle : les « il faut, il ne faut pas » prendront le dessus pour compromettre l'harmonie. Le sens de la mesure devient alors raisonnement permanent et stockage excessif des informations du mental et de la matière (puisque c'est là le siège de la matière).

Déséquilibre signifiant *ipso facto* stagnation de l'énergie, toute stagnation est pathologique.

Quand un sujet est assailli de pensées qui roulent en boucles, quand son mental s'enfle au point qu'il n'y a plus de fluidité dans cette zone, il devient ce que j'appelle un « ruminant intellectuel ».

En perte d'équilibre, l'ensemble rate-pancréas va léser l'énergie de l'élément qui lui fait face : les reins. Autrement dit, un excès de raisonnements ou une rumination intellectuelle incessante épuiseront l'énergie des reins et amèneront soit des peurs excessives, soit une volonté abusive de garder le fameux contrôle de la situation. Jusqu'à ce que l'énergie des reins soit complètement à plat, suite au contrôle disproportionné de la rate. L'énergie de son système se trouvant totalement bloquée, le patient tombera dans une dépression profonde, verra ses peurs s'amplifier, ou encore il fera des pathologies de déficience immunitaire ayant pour cause l'épuisement de ses glandes surrénales. Les surrénales sont en fait ces petites glandes reliées aux reins qui régulent pour une bonne part notre capacité à résister au stress et aux infections.

Toujours selon la loi de rétro-contrôle, si l'énergie des reins est perturbée sur une longue période, cette rupture d'équilibre dispersera l'énergie du cœur et engendrera des troubles cardiaques ou, le plus souvent, des accidents vasculaires. Les artères devenant de plus en plus rigides, sous l'effet d'un processus de contrôle mis en place depuis des années par un mental verrouillé, ce qui a lésé les reins, et donc nourri la peur, ira ensuite bloquer l'énergie nourrissante du cœur.

Ce processus prend des années, mais c'est ainsi que se fait le lit de pas mal d'accidents vasculaires. À trop «vouloir» contrôler, gérer, maîtriser, on se coupe de la source de vie...

La vie est mouvement et fluidité. Si notre mental s'enfle, s'il prend justement le contrôle, des résultats inverses se produisent irrémédiablement.

La santé est ce mouvement fluide dans le corps..., ce souffle qui circule librement.

En analysant simplement le schéma et ces lois d'engendrement et de rétro-contrôle, on voit bien qu'il est totalement inutile d'essayer de démontrer à une personne souffrant de dépression majeure qu'elle «a tout pour être heureuse», car ce commentaire rationnel l'enfonce ainsi encore plus dans son désespoir. Dans un cas de détresse profonde, on essaiera au contraire de remettre la personne atteinte dans le cercle de circulation de la vie : c'est-à-dire qu'on cherchera à refaire circuler l'énergie à partir de l'élément poumons et à conduire cette dernière vers le foie, l'organe du mouvement, rappelons-le.

Autrement dit, quand quelqu'un est au bout du rouleau, ce qui convient davantage, ce sont des moyens tout simples alliant des techniques de relaxation, des exercices de respiration et de marche, ou un autre exercice, idéalement dehors pour respirer un air sain.

Mettre en mouvement ses muscles induit un effet positif sur le mental et l'énergie globale. Respirer et bouger ! Deux outils extraordinaires à retrouver pour rétablir le cycle de la vie...

La marche draine le foie et évacue les tensions émotionnelles bloquées. Outre la respiration et la pratique régulière de la marche, on peut éventuellement inclure à son programme des activités artistiques en rapport avec sa personnalité.

Quand on ramène l'énergie du souffle dans les reins, qu'on la fait monter dans le foie pour qu'elle aille s'accomplir dans le cœur, et ainsi nourrir ensuite la matière sise dans la rate et le pancréas, le mental asphyxié et raisonneur s'oxygène et s'apaise. C'est le souffle mis en mouvement et grandi par le cœur qui ira inspirer, et le mot n'est pas trop fort, ce pauvre petit mental piégé dans ses raisonnements.

Cette circulation d'énergie dans notre corps est capitale et nous apprend la roue de la vie, profonde et juste.

Je pense à Pierre, père de famille comblé, qui depuis quelques mois, traînait un mal de vivre pesant et « sans fondement »... Ou plutôt, les fondements de son abattement étaient très anciens, car depuis son plus jeune âge, Pierre avait toujours obéi aux règles du « il faut, il ne faut pas » ; « cela se fait ou cela ne se fait pas »... Docile à l'enseignement reçu, Pierre ne s'était jamais ou si peu écouté et avait contraint au silence sa petite voix intérieure...

Certes, le traitement phytothérapique et énergétique qu'on lui a donné l'a aidé à sortir de cette dépression, mais une des prescriptions importantes qu'il a eu à respecter a été de marcher tous les jours une heure, dans un geste conscient et en « déplissant » au mieux ses poumons. Il n'est pas excessif de dire qu'à la suite de cette remise en mouvement, on a pu assister à une véritable renaissance pour Pierre : sa vie a été totalement différente, ou plutôt il a pu l'appréhender de façon tout à fait différente. Quelque chose s'est mis en mouvement, et il s'est redécouvert lui-même...

On a tendance à oublier que ce qui se met en route à la première seconde de vie et qui continue sans cesse jusqu'au dernier instant, c'est le souffle. En effet, c'est dans la qualité de notre respiration, calme et ample que l'on entend par la voix du cœur quelque chose qui reste inintelligible pour notre mental. Dans l'idéal, la calme certitude précède le mental et l'apaise. Le mental serait l'instrument de mise en application d'une intuition non articulée mais préexistante : «Le mental s'arrête hors d'haleine où commence la foi. Il ne peut jamais l'atteindre. Le mental ne peut s'élever jusqu'au Ciel, car il est de ce monde...» (Gitta Mallasz, *Dialogue avec l'ange*).

Nous aussi, thérapeutes, devons être alignés dans nos consultations pour pouvoir accompagner l'autre sur son chemin, selon la définition de Lao Tseu. Il faut pour cela écouter, regarder, ressentir et, enfin, aimer l'autre pour comprendre.

Plus j'avance sur mon chemin professionnel et personnel, qui sont intimement liés, plus je prends conscience que cet ajustement est à faire en permanence : chaque chemin est particulier, chaque découverte est personnelle.

La guérison, c'est avant tout la résolution d'une souffrance physique ou morale, mais cette résolution, si elle n'est pas profonde, fait passer le patient à côté de sa maladie, voire de sa vie. Avec certains, j'ai appris aussi que l'on peut perdre la vie, mais partir en n'en ayant pas perdu le sens, partir en ayant résolu, libéré, ces paquets de mémoires et de chagrins qui nous étouffaient.

IV

Leçons de vie

> Dans la profondeur de l'hiver, j'ai finalement
> appris qu'il y avait en moi un soleil invincible.
>
> Albert Camus

Le poids du passé

« C'est trop lourd à porter », l'histoire de Valentin

Valentin est un bambin de 24 mois que sa mère m'amène, au bord de l'épuisement et du découragement. En effet, depuis sa naissance, cet enfant pleure toutes les nuits et semble faire de vrais cauchemars. Outre la fatigue que la situation entraîne chez les parents, l'enfant souffre aussi d'un eczéma sévère au niveau du cou. La famille a tout essayé et rien n'y a fait, ni pour le sommeil ni pour l'eczéma.

J'ai devant moi, dans mon bureau, trois générations : Valentin, sa mère et sa grand-mère maternelle.

D'emblée, je cherche à retracer l'histoire de ce bonhomme et les facteurs déclenchants possibles, d'abord externes : alimentation, prise de médicaments, vaccination intensive, etc. Je ne trouve rien. L'enfant vit dans une atmosphère heureuse, calme, il n'est pas victime d'erreurs alimentaires et a été exposé à très peu de produits chimiques depuis le début de sa vie. De plus, il a reçu peu de vaccinations. Au départ, il n'y a apparemment aucune correction de paramètre à apporter.

Je m'en vais alors explorer l'histoire de sa famille, recourant selon l'enseignement d'Anne Ancelin Schutzenberger au géno-sociogramme, c'est-à-dire à l'étude des blocages inconscients transmis qui s'expriment physiquement, dans le corps, plusieurs générations plus tard. La maman de Valentin répond un peu à contrecœur à mes questions concernant ses parents et ses grands-parents, car pour le moment, ce qui l'inquiète, elle, c'est son fils; et que je m'intéresse aux ancêtres ne la convainc pas. Mais têtue, je remonte ainsi aux arrière-grands-parents du petit bonhomme.

— Que savez-vous des grands-parents paternels?

— Ma grand-mère est morte de vieillesse, et mon grand père, je ne l'ai pas connu. Il paraît qu'il s'est suicidé. À part cela, je n'en sais pas grand-chose.

— Ah! et comment s'est-il suicidé? Pourquoi?

Là, je sens bien que la jeune maman est agacée, mais j'insiste gentiment.

— J'en sais rien, on raconte qu'on l'a à tort accusé d'adultère, alors il s'est pendu, je crois, mais je n'en sais pas plus et je m'en moque.

— Ah! il s'est pendu pour une histoire de rumeur injuste?..

Et là je sais que je tiens une clé: l'arrière-grand-père du bambin a tellement souffert d'injustice qu'il s'est pendu. Or, nous savons que, dans le géno-sociogramme, nous avons des résonances privilégiées entre la première et la quatrième génération: autrement dit, les conflits vécus sur un mode psychologique à la génération 1 ont toutes les chances de sortir de façon clinique à la génération 4. C'est ce qu'Anne Ancelin Schutzenberger explique dans son ouvrage *Aïe mes aïeux!*

Dans le cas qui nous intéresse, le jeune Valentin, qui souffre d'un eczéma sévère au cou, hurle toutes les nuits, et son arrière-grand-père, accusé à tort, a mis fin à ses jours en se pendant.

Je prends alors le temps d'expliquer la théorie du géno-sociogramme à la maman. Tout en parlant, j'observe Valentin. Comme « par hasard », il s'est arrêté de jouer et semble écouter. Consciente de sa disponibilité d'esprit, je m'adresse autant à lui qu'à sa maman. Mais j'explique à celle-ci que, ce soir, quand Valentin sera endormi, elle ira lui répéter doucement à l'oreille que cette histoire d'arrière-grand-père, ce n'est pas la sienne ; qu'il peut laisser tomber cette mémoire, que ce n'est pas sa vie. La sienne ne fait que commencer et il n'a plus rien à voir avec cela.

Pourquoi intervenir lorsque l'enfant dort ? Pour que l'information entre encore mieux au niveau de l'inconscient.

Je donne en complément une dose de staphysagria en 30CH qui est, à cette dilution, un remède de nettoyage d'injustice, et c'est tout !

Ce jour-là, autant le début de la consultation était laborieux, autant l'atmosphère s'est tout à coup totalement allégée après mes explications.

Le traitement a été observé comme je l'indiquais, et Valentin s'est mis à faire ses nuits dès le lendemain. Quant à son cou, au bout d'une semaine, il a totalement « mué », c'est-à-dire que toutes ses petites peaux mortes sont tombées, et une belle peau rosée a succédé. On n'a plus entendu parler d'eczéma...

Est-ce la parole ou la dose d'homéopathie qui a fait la différence ? De toute façon, les deux allaient dans le même sens : la réparation d'une injustice. Toutefois, la rapidité de la guérison laisse à penser qu'il y a eu résolution totale dans le cerveau de ce petit bonhomme. À voir l'attention qu'il portait à ce qui se disait à la fin de la consultation, je pense que le processus de guérison était d'ores et déjà en route.

Libération d'une mémoire avec tout l'amour d'une maman comme vecteur : il n'y a pas mieux pour guérir à deux ans !

Léo ou comment la prise de conscience libère un enfant de deux ans

Pour rester dans le registre pédiatrique, voici maintenant l'histoire de Léo, un petit Québécois qui fut un de mes premiers jeunes patients à Montréal.

Léo a deux ans quand sa maman me l'amène pour otites récidivantes depuis sa naissance. Depuis qu'il est né, ce bambin a subi de très nombreux traitements antibiotiques pour des otites récurrentes et on parle maintenant de placer des « tubes » au niveau des oreilles pour drainer le phénomène inflammatoire chronique...

Le problème se complique du fait que la maman de Léo doit s'absenter pour son travail assez régulièrement, un à deux jours complets dans la semaine, et se culpabilise beaucoup de le laisser, même si le bambin est gardé sans problème et avec beaucoup d'affection par son papa ou sa grand-mère. Le lien entre maman et Léo est très fort et maman souffre de son « abandon » obligatoire.

Durant la consultation, toute la situation est révélée et maman en prend conscience. J'explique ensuite que l'homéopathie peut très bien aider Léo à faire fondre les phénomènes inflammatoires chroniques derrière son tympan et je passe finalement à une explication plus subtile.

Selon la symbolique, quand Bébé « met » de l'eau (liquide séromuqueux de l'inflammation) derrière ses oreilles, c'est un peu comme s'il voulait recréer ainsi les conditions acoustiques *in utero* : au cours d'une otite, on entend en effet les bruits assourdis comme dans le ventre de maman. Même si l'otite est douloureuse, elle nous permet de nous mettre en retrait et à l'abri, comme dans le ventre de maman... À ces mots, je vois mon petit bonhomme planter ses beaux yeux noirs dans les miens, avec un intérêt certain...

Continuant mon explication, cette fois, je m'adresse à lui : « Ce n'est pas la peine de refaire des otites, on ne rentre plus dans le ventre de maman, car il y a tellement de choses à apprendre ou à faire : écrire, dessiner, jouer aux petites voitures ou à la balle... Léo est bien trop grand et s'ennuierait s'il revenait dans le ventre de sa maman... »

Ces minutes où un petit enfant vous écoute (vraiment) et où vous « mettez à plat » la problématique sont de vraies petites merveilles, car vous savez que le processus de guérison est en route...

Comme dans le cas de Valentin, bien sûr j'ai donné consciencieusement mes granules homéopathiques après avoir trouvé son terrain, ajoutant cette fois des plantes et des oligosols pour faire fondre ses sérosités derrière son tympan et augmenter son immunité. Mais j'étais persuadé que quelque chose avait été résolu. Effectivement, un mois plus tard, Léo et sa maman revenaient, le sourire aux lèvres : plus rien depuis un mois. Du jamais vu ! Par la suite, j'ai reçu la maman de Léo deux, trois fois en consultation, afin de l'aider, elle, à sortir de sa culpabilité. Quant à Léo, il n'a pas refait d'otite, et le spécialiste ne parle plus de tubes, puisque tout est rentré dans l'ordre.

Notre corps s'exprime à travers nos symptômes, nos maladies. Retrouver ce qui se dit à travers le symptôme est toujours un chemin de guérison; on remet en marche le Qi : la vie. Les enfants sont bien meilleurs que nous dans ce sens, car leur mental fait moins barrage. En même temps, avec eux, nous savons très vite si nous sommes justes ou pas.

Nos cycles de vie... comment en les reconnaissant, nous pouvons nous libérer instantanément

Le regard change, la guérison s'installe... C'est l'histoire d'Étienne

Étienne a 15 ans quand je le rencontre. J'ai sa maman en soin depuis quelque temps. Je sais qu'elle élève seule son garçon.

Son mari, un homme au passé familial extrêmement dur, a changé d'attitude lorsqu'il s'est retrouvé père. Entre autres, il ne parlait jamais directement à l'enfant, faisant plutôt passer ses messages par sa femme : « Dis-lui de... »

Profitant de son métier de pilote, il s'est inscrit sur des vols de plus long courrier, multipliant ses absences, jusqu'au jour où il n'est plus rentré du tout, laissant seulement une lettre d'adieu sur la table de la cuisine.

Tout cela, je le savais grâce à la consultation de la maman.

Ce jour-là, elle m'amène son garçon, qui après s'être fait renverser par un autobus a eu des fractures multiples de la jambe. Il a été opéré et est maintenant en rééducation. Sa mère voudrait savoir « si avec mes méthodes, je peux l'aider à cicatriser plus vite... ».

J'ai donc Étienne et sa mère dans mon bureau.

Même si j'ai effectivement des outils homéopathiques pour consolider la cicatrisation osseuse, je commence ma

consultation comme toujours avec la recherche des antécédents médicaux : ceux de sa famille, mais là il n'y a rien
d'important, sauf les troubles psychiques du papa que je
connais ; puis, les antécédents personnels d'Étienne : que lui
est-il arrivé depuis 15 ans ?

Pratiquement rien, me dit-on. Je creuse toujours un peu
plus lorsqu'on me dit « rien ». « Vous êtes sûr ? Pas d'autres
interventions chirurgicales, pas d'autres traumatismes ou
blessures ? » En disant cela, je ne sais pas vraiment ce que je
cherche, mais je m'applique, comme poussée dans une direction que je ne vois pas encore...

Effectivement, j'apprends qu'Étienne s'est cassé le bras à 10
ans...

Fracture du bras à 10 ans, de la jambe à 15 ans. Je ne suis
vraiment pas un as des mathématiques, mais là j'accroche sur
le cycle de 5 ans : 10 ans, le bras ; 15 ans, la jambe. Je demande
alors à Étienne s'il se souvient du moment où son père est parti.
Comme cela, sans lui parler encore de ce que j'entrevois.

Bien sûr, il s'en souvient ! C'était le jour de la rentrée à la
grande école pour lui... À son retour, il avait trouvé sa mère
en larmes dans la cuisine.

— Te souviens-tu de ce qui s'est passé pour toi à ce moment-
là ?

— Je ne comprenais rien, on m'a emmené chez la voisine en
me disant que mon papa était parti et que ma maman devait se
reposer.

— Et qu'est-ce que, toi, tu as ressenti ?

— *Ben, j'ai eu l'impression que tout se cassait la gueule, et*
je ne comprenais rien.

Alors là, j'ai stoppé l'entretien, et j'ai commencé à expliquer ce que tous les deux avaient commencé à comprendre
intuitivement au fur et à mesure qu'Étienne parlait.

Je lui ai dit simplement ceci : « Pour toi, à cinq ans, *tout s'est cassé, et tu ne comprenais rien.* Ton cerveau a enregistré un "bogue" avec le ressenti de cassure, de fracture. »

Selon les travaux de Marc Fréchet, il existe chez chacun de nous ce qu'il a appelé des cycles biologiques mémorisés. Lorsque notre cerveau tombe sur un bogue, c'est-à-dire sur quelque chose de trop gros, de non gérable, il retient l'atmosphère, le ressenti du moment, et x années plus tard, il essaiera de se retrouver dans cette atmosphère, ce ressenti pour essayer de résoudre ce bogue resté coincé quelque part dans l'inconscient.

X étant égal à l'âge auquel s'est produit le premier événement, à cinq ans, tout se casse et je ne comprends rien ; à 10 ans, je me casse le bras ; à 15 ans, plus fort, je me casse toute la jambe.

— *Donc tu arrêtes tout de suite le processus en en prenant conscience,* et à 20 ans tu ne te casseras rien. Ton papa est parti, car il ne pouvait pas faire autrement. Tu demanderas à ta mère de t'expliquer ; à la suite d'une enfance douloureuse, il a eu peur de reproduire des horreurs que lui-même avait subies. Il ne se sentait pas capable d'être père, et pour lui la seule solution a été la fuite. *Tu n'y es pour rien et c'est quelque part une preuve d'amour qu'il t'a donnée.* Il a voulu te préserver de ses réactions dont il avait peur. Tu le retrouveras quand tu seras adulte : là, il saura mieux échanger avec toi. Mais élever un enfant, il ne pouvait pas. Tu n'y es pour rien, et c'est un drôle de cadeau qu'il t'a fait, mais c'est un cadeau...

Inutile de vous dire que tout ce discours m'est venu de je ne sais où, mais je me suis entendue le prononcer, et nous avions tous les trois, qui la chair de poule, qui les larmes aux yeux. Une émotion très forte était partagée et signait encore le dégagement de quelque chose.

Quand dans une consultation on a la chair de poule, qu'on entend la voix du cœur plus forte que la voix du mental, je peux vous assurer qu'on vit réellement une mini-révolution : une cure en profondeur chez le patient, et une grâce chez le thérapeute.

On ne peut dire que merci à plus grand que soi en soi....

Bien sûr, j'ai donné ce qu'il fallait pour la consolidation de l'os... Mais je crois bien qu'on avait cicatrisé plus loin que l'os, et Étienne est ressorti de là avec un bagage allégé, et les yeux plus clairs.

J'ajoute que cinq ans après, il ne s'est rien cassé...

Ce discours qui est littéralement sorti de ma bouche sonnait miraculeusement juste. Je n'aurais pu rien prouver, mais je savais au plus profond de moi que c'est ainsi que les choses s'étaient passées. On démystifiait tout, et l'énergie de Vie pouvait se remettre à circuler librement chez ce jeune homme. « Rétablir le Qi, le courant de vie », disait Lao Tseu.

Prendre conscience de ce qui nous habite, arriver à changer nos regards sur nos douleurs enfouies, mettre de l'amour là où il y a de la souffrance, c'est cela qui guérit.

Jules : rien n'est établi selon un protocole, l'amour peut rallonger la route...

Jules a plus de 75 ans quand il vient me voir après une ablation d'un rein en raison d'un cancer, avec métastases aux poumons. Il est veuf, père de trois garçons, et a été chef d'entreprise toute sa vie. Il vit mal son veuvage et, ce cancer, il l'accepte plus ou moins... « Si c'est mon temps de partir, je partirai. Mais je viens vous consulter pour voir si on ne peut pas prolonger un peu la route ; je ne voudrais pas quitter le monde trop tôt… » Les chirurgiens et cancérologues se sont montrés très pessimistes. Jules n'est pas dupe, mais se montre agacé qu'on « l'enterre si vite »… Il n'a pas envie de se laisser faire ni de subir une chimiothérapie qui le mette encore plus à plat. Je lui parle des produits du docteur Beljanski. Ce sont des produits naturels qui ont la particularité de renforcer le système immunitaire du patient et de l'aider ainsi à mieux combattre par lui-même la maladie. Ils ont comme autre propriété d'accroître la tolérance à la chimio et à la radiothérapie quand c'est nécessaire.

C'est ainsi que Jules suit son « protocole » de chimiothérapie et complète son traitement en prenant simultanément ces produits. Il vient me voir régulièrement pour que je travaille en amont de la médecine classique de manière à lui faire traverser ce cap : je recours à la médecine chinoise et au toucher énergétique… Les résultats sont surprenants : en effet, contre l'attente d'une partie des siens qui le voyaient par avance décliner très vite, Jules supporte très bien sa chimio, reprend goût à la vie et… remet les pieds (et le nez…) dans l'entreprise familiale qu'il a confiée à ses fils. Il rencontre même une charmante veuve de son âge, avec qui il voyage et sort au théâtre… Si ce n'est le grand amour, c'est un souffle de vie et d'amour qui circule à nouveau.

En somme, grâce à sa maladie, ce patient a pris conscience du monde qui l'entourait et, du même coup, a pris la mesure de son goût à la vie et de réaliser encore des choses. Sa force à lui, ça été cela. Je n'ai eu qu'à l'accompagner dans sa prise de conscience. Au moment du bilan à mi-chimio, il a néanmoins eu peur :

— Docteur, qu'est-ce qu'on va trouver ?

— Au pire que c'est stationnaire et que vos métastases sont toujours là, mais regardez comment vous vivez en ce moment! Est-ce que votre qualité de vie est amoindrie? Non! Alors, au pire votre cancer est toujours là, mais il est non actif, en tout cas ralenti.

Et, au mieux, le mal a régressé...

Je croyais plus en la première hypothèse — arrêt de l'évolution, plutôt que régression —, mais je préférais attendre les résultats du bilan... À ma grande surprise, les analyses déclaraient une réduction significative de ses métastases pulmonaires.

En cours de traitement, Jules a changé de cancérologue: «Celui que je vois ne veut pas entendre parler de ce que je fais à côté pour m'aider, et en plus il est sinistre! Je ne crois pas qu'il sache sourire...»

Jules était un homme qui ne se laissait pas mener dans la vie, c'est même lui qui avait souvent mené tout son monde! Il a donc pu prendre cette décision.

Que nos médecins s'interrogent sur leur attitude! Même quand le cas nous paraît lourd, inutile de prendre une tête d'enterrement; un peu de douceur, de gentillesse, d'écoute pour son patient peut grandement améliorer les choses... Cela se nomme compassion ou humanisme.

Quant à l'opposition catégorique d'entendre un patient qui cherche une amélioration de son état par d'autres voies que la médecine classique, c'est tristement déplorable. Heureusement, ce n'est pas le cas de tous, mais de trop nombreux médecins fonctionnent encore ainsi. Cela ne peut pas aider un malade d'avoir à jongler avec les susceptibilités des médecins! Au lieu d'avoir les différents médecins à son écoute et à son service, le patient se retrouve parfois dans un contexte de roman noir, où il doit cacher ce qu'il fait à son chirurgien ou à son cancérologue au risque d'essuyer une rebuffade ou, pire, une moquerie...

Où est la compassion dans cette attitude, et qui sont-ils ces grands hommes pour avoir la prétention de détenir la vérité ?

Toujours est-il que Jules s'est remis de son cancer du rein et qu'il a vu ses métastases pulmonaires diminuer. Il a pu prolonger sa vie de deux grandes années et il est « parti » d'un problème hépatique. Cette fois, il était prêt : il n'avait plus envie d'aller plus loin. Il est parti alors très vite.

> *Personne ne détient la vérité ; le devoir du soignant, c'est d'être au service de son patient ; toutes les voies qui peuvent apaiser son malade seront bénéfiques, y compris celles que l'on ne comprend pas toujours... La guérison emprunte des routes parfois bien curieuses... Croire que l'évolution de son patient se borne à l'étendue de ses propres connaissances est à la fois d'une naïveté et d'une prétention extraordinaires...*

Julie, Marie-Pierre et Raymonde

*Pas de voie unique : revenir au centre de sa vraie vie
conduit à la voie de passage*

La notion de protocole extrêmement rigide est une chose qui me dérange. Comment catégoriser ainsi nos patients ? Je peux avoir exactement le même type biologique de cancer que Mme X, qui a aussi le même âge que moi, voire les mêmes conditions socioculturelles. Cependant, je n'ai pas la même histoire que Mme X, pas les mêmes capacités à vivre la douleur et la maladie ; pas le même passé ni le même présent, et donc pas le même avenir...

Je trouve l'attitude du protocole tellement réductrice à la chimie... Avec tout le respect que j'ai pour les chercheurs, n'oublions pas que nous ne sommes pas que des amas de molécules et de cellules plus ou moins bien agencées... Si dans nos services de cancérologie et dans nos approches de patients cancéreux, nous personnalisions un peu plus nos démarches ; si nous apprenions à écouter l'histoire de nos malades et à trouver la faille qui a fait le lit du cancer et, enfin, si nous apprenions à connaître les possibilités de récupération du patient qui sont souvent différentes d'un sujet à l'autre...

Le professeur Hamer, reconnu pour ses « cinq lois biologiques », affirme que tout choc vécu dans l'isolement fait le lit du cancer... La médecine traditionnelle chinoise dit aussi la même chose sous une forme différente : ce qui allume la prolifération anarchique des cellules, c'est très souvent une perturbation sur le méridien Maître Cœur, le méridien de l'émotionnel.

Outre le contrôle de l'automatisme du cœur et la régulation du sang dans les vaisseaux, « les perturbations de l'énergie dans ce méridien se traduisent par des signes psychiques ».

C'est ce que les ostéopathes enseignent d'une certaine façon lorsqu'ils rappellent que « le rôle de l'artère est absolu ».

Un peu comme si l'artère en apportant l'oxygène aux cellules véhiculait quelque part l'information enfouie de nos émotions, mais aussi des mémoires « engrammées » dans notre Être. Le sang ne transporte pas que de l'oxygène...

Bernie Siegel, dans *L'amour, la médecine et les miracles*, nous parle de la même chose, c'est-à-dire de l'élément cœur dans le processus de guérison.

Il y a incontestablement des facteurs diététiques, familiaux, environnementaux... mais le début de la prolifération

cancéreuse est une perturbation émotionnelle sur Maître
Cœur. Par conséquent, il faut voir un peu ce qui s'est passé
dans la vie de nos patients, et comment ils fonctionnent
pour pouvoir les aider à traverser leur maladie, usant pos-
siblement de moyens classiques, mais aussi de ce qui va
correspondre au mieux à leur mode de réaction et de ce qui
va réellement les aider. Pour certains, une adhésion totale à
la chimiothérapie comme traitement sera bénéfique ; pour
d'autres, le simple mot chimio évoque la porte de l'enfer...
Je crois réellement que, pour ces derniers, il est inutile de
s'acharner à vouloir les convaincre. Soumettre quelqu'un à
un traitement alors qu'il est persuadé que cela est mauvais
pour son corps n'a rien pour amener sa guérison. Et c'est là
que certains médecins s'en remettent *in fine* au fameux protocole : pour votre type de cancer, c'est tel protocole... « Fort
bien, mais moi ? Je ne suis pas qu'un cancer, je suis Mme X
qui a un cancer...

À cet égard s'impose une nuance qui a tout son intérêt : *le
retour à l'individu.* L'être humain a beau partager des bases
médicales et physiologiques avec ses semblables, il est sin-
gulier. Il est indispensable que cette partie de l'individu soit
intégrée dans le soin des malades : sinon, nous n'aurons fait
que de la mécanique, du rafistolage ! Quant à la notion d'hérédité, que certains avancent pour tout expliquer, l'hérédité
comportementale joue assurément davantage que l'hérédité
chromosomique. De là l'intérêt de se pencher sur l'histoire
du patient. Pour illustrer ce propos, penchons-nous sur l'histoire de trois femmes qui sont dans la fourchette d'âge entre
40 et 50 ans. Elles ont toutes les trois le même type de cancer
du sein : Marie-Pierre et Julie l'ont à gauche, Raymonde l'a
à droite.

Respectivement infirmière, mère de famille et travailleuse dans une parfumerie, elles vont toutes les trois suivre des voies différentes.

Raymonde a su « qu'elle allait se faire quelque chose » quand elle a vu que son mari avait trouvé les lettres de son amant. À ce moment-là, le monde s'est écroulé pour elle. Maintenant elle allait devoir prendre une décision et elle en avait très peur. Mère d'une petite fille de six ans, avec une famille d'origine italienne très présente et un « bon mari » à qui elle n'avait rien à reprocher, mais qu'elle n'aimait plus vraiment, Raymonde s'est sentie prise au piège et, quand elle me raconte son histoire, elle se souvient bien s'être dit : « Je vais tomber malade… c'est trop dur. »

La deuxième, Marie-Pierre, a accompagné en fin de vie sa mère durant de longs mois et l'a gardée à domicile jusqu'au bout, en plus de son travail à l'hôpital. Elle s'en est occupée avec toute la tendresse et la dévotion dont elle est capable et en ayant accepté aussi au mieux ce départ, délivrée de toutes les querelles et rancœurs qui pourrissent parfois nos vies familiales. La paix et l'amour ont fait partie de ce long accompagnement. Marie-Pierre sait qu'elle a materné sa mère et que ce maternage avec perte *in fine*, son corps ne l'accepte pas, même si sa tête, elle, l'accepte…

Quant à Julie, elle a trois enfants entre 16 et 20 ans : un garçon brillant et deux jeunes filles aussi brillantes, mais dont la cadette lui pose des problèmes d'adolescence. Quant au garçon, pour lequel on sent bien qu'elle a une petite préférence, il est parti étudier à Montréal. Il lui manque donc du monde dans sa « nichée ». Or Julie, qui habite les environs de Cannes, n'a pas les moyens de se rendre au Québec : les études de ses filles et la maladie de sa mère le lui interdisent.

Julie est prise au piège de sa famille : elle dépend économiquement de la fortune de sa mère et sait qu'elle doit assumer une présence pour ses filles, mais n'en a plus la force ni l'envie....

Si on suit la théorie du professeur Hamer, le cancer du sein gauche est en relation avec la notion de maternage, et celui du sein droit avec la notion de féminité dans le couple. Un peu comme si nos deux seins nous parlaient. Dans le cas des gauchères, le phénomène serait inversé. En pratique, chez les femmes porteuses d'un cancer du sein, on retrouve cette stupéfiante corrélation, pourvu qu'on prenne le temps de les interroger. Notons que la notion de maternage peut s'appliquer à quelqu'un d'autre que l'enfant : on peut materner un parent, un mari ou un ami...

Marie-Pierre sait comment son cancer est arrivé : elle connaît les travaux du docteur Hamer et elle avait pressenti que le surmenage qu'elle avait dû s'imposer allait entraîner une faille dans son système immunitaire... Elle a consulté très tôt, consciente de ce qu'elle risquait.

Raymonde ne connaît rien à la médecine du docteur Hamer et à la médecine en général ; en revanche, elle a du bon sens et une connaissance de ses fragilités... Elle sait qu'elle va tomber malade : son déchirement de couple est trop dur. C'est elle qui détecte par l'autopalpation la micro-masse dans son sein et qui va faire une échographie.

Julie est celle qui se laisse plus porter par les événements funestes et qui se « victimise » plus : la vie est injuste...

Toutes les trois vont suivre des voies différentes.

Raymonde accepte tout le protocole classique : chirurgie, chimiothérapie et radiothérapie. Elle vient me voir pour que je l'aide à passer au travers de cela ; au-delà de sa maladie, sa préoccupation principale est de savoir ce qu'elle fait de son couple... Elle fait to-ta-le-ment confiance à la médecine classique et à moi... Je suis ravie que mon expérience lui permette de bien supporter tout ce traitement lourd... Elle passe en effet au travers de sa maladie comme une fleur... Presque pas d'effets secondaires, et elle ne doute pas de guérir, car elle utilise ce « qu'il y a de mieux dans les deux médecines »... Et laissant aux différents médecins le soin de son corps, elle s'occupe d'elle comme jamais auparavant : de son cœur, de ses sentiments, de son histoire de vie. Effectivement, durant nos séances, elle me parle de ses soucis de couple et de famille ; très peu de son traitement et du cancer... Elle a guéri totalement et plus de six ans après, elle vit heureuse avec sa fille, séparée de son mari, et en paix avec elle-même...

La chirurgie de Marie-Pierre s'est bien passée, mais elle refuse catégoriquement la chimiothérapie et la radiothérapie : son cancer est très localisé, sans extension ni ganglion. Elle prend aussi les produits Beljanski, comme mes deux autres patientes, et elle a fait son travail de deuil complet. Le cancérologue chirurgien qu'elle continue de consulter exerce une pression très forte pour qu'elle se soumette à la radiothérapie, invoquant le risque de redémarrage de la maladie. Il a peur et il lui transmet cette peur. Cet homme, au demeurant un excellent chirurgien-obstétricien, redoute en permanence la mort de ses patientes, et du coup il veut employer tout l'arsenal connu, même si la chirurgie a tout éradiqué du mal. Son avis est formel : si Marie-Pierre s'est dérobée à la chimio, il faut qu'elle fasse la radiothérapie...

Et Marie-Pierre a finalement peur... C'est ce qu'elle vient me dire.

À ce stade, je la tranquillise. Qu'elle fasse la radiothérapie : on « nettoiera » après les effets secondaires ! Car laisser la place à un millimètre de peur est toujours dangereux et préjudiciable. Il faut une adhésion totale du patient à son traitement ou non-traitement. S'il subsiste un doute chez lui, on va au-devant des problèmes.

Rappelons-nous le schéma des cinq éléments en MTC: le déséquilibre sur l'énergie des reins engendre la peur... on se coupe de l'énergie du cœur. Car c'est bien l'amour qui guérit. Appelons ça foi, confiance, adhésion, c'est cette énergie positive qui guérit. Nous verrons plus loin comment les recherches de la médecine moderne sont en train de le « prouver ».

« Mon » premier patient quand j'étais toute fraîche dans la profession, ce sympathique boucher à qui on a enlevé un bon morceau de gros intestin, qui avait des antécédents cardiovasculaires sûrement pas très fameux vu son surpoids, a guéri to-ta-le-ment contre toute attente de l'équipe médicale qui l'avait catalogué comme « à risque » et à faible coefficient de s'en sortir... Sauf que pour lui, le professeur Escat l'avait opéré... et le professeur Escat venait dans son estime juste après Dieu, peut-être bien même avant....

Donc pour Marie-Pierre, infirmière, la sollicitude de ce grand médecin et ses arguments l'ont fait pencher vers la peur... Et c'est tout à fait compréhensible... Je le comprends très bien et je vais aller dans le même sens qu'elle. J'accompagnerai la radiothérapie sans entreprendre de duel entre les différentes médecines. Je préfère qu'elle se soumette à sa radiothérapie sans un soupçon de peur, plutôt que d'essayer de la persuader que ça ne servira pas à grand-chose.

D'abord, parce que personne n'est certain de rien à ce niveau; ensuite, parce que j'ai en tête mon schéma de la loi des cinq éléments, et je sais pertinemment que convaincre avec le mental ne peut que bloquer le processus de guérison.

On guérit en « repartant » la roue des cinq éléments dans le bon sens : souffle et marche... Marche pour de vrai, ou marche symbolique : on chemine avec son patient en allant dans le même sens, et en lui tenant la main...

Pour finir, Marie-Pierre a subi sa radiothérapie sans trop de dégâts. Elle a guéri totalement, reprenant assez vite son travail.

Pour sa part, Julie, refuse catégoriquement l'intervention : « Si on m'enlève le sein, je meurs... » « Oups ! Alors on ne va pas vous l'enlever... »

Entendons nos patients s'exprimer ! Dans son mental conscient, inconscient, dans ses critères socioculturels, familiaux, voire ethniques, l'amputation est inadmissible pour cette femme. Allons-nous essayer de la convaincre « qu'il faut l'amputer » ? La façon dont elle programme cette idée dans sa tête est terrible : ablation du sein égale mort...

Pourtant, elle refuse tout traitement classique et décline tour à tour chimio, radiothérapie et on ne parle même pas d'hormonothérapie... Elle essuie une charge de la part de son médecin cancérologue, mais elle tient bon.

Au total, le cancer de Julie a été plus pénible que les deux cas précédents, mais pour elle c'était un choix, et elle l'assumait. À un moment, la plaie est devenue vraiment vilaine, et ce malgré tous les traitements adjuvants (en plus des miens et des produits Beljanski, elle suivait parallèlement d'autres thérapies).

Je l'ai alors guidée tranquillement, avec l'assurance de l'aider dans cette démarche, vers une radiothérapie curatrice, pour traiter cette plaie qu'était devenu son sein. Elle s'y est finalement soumise et a pu guérir plus vite et se sentir mieux après, même si en guérissant, elle perdait un peu de l'attention des siens... Elle a vécu ainsi libérée en bonne partie de ses problématiques encore deux ans ; mais j'ai su qu'ensuite la maladie est revenue et que Julie n'a pas voulu tenter autre chose. Elle avait choisi de partir... n'ayant pas réglé sa problématique d'enfermement entre ses désirs profonds et ses responsabilités. Qu'on comprenne bien, il n'y a pas une once de jugement dans ce que je dis : elle n'a tout simplement pas pu, à ce moment-là de sa vie, avec les moyens qu'elle avait et les mémoires qu'elle portait, dépasser le mal qui la consumait.

C'est là aussi où nous sommes inégaux et singuliers... Il arrive que le patient quelque part ne peut aller plus loin ! Il ne veut pas aller plus loin, il le sait et l'accepte. À nous de le voir, de le comprendre et de l'accompagner...

Trois cancers du sein, trois facteurs déclenchants, trois thérapies différentes, trois femmes... Toutes ont vécu l'épreuve, chacune à leur façon avec leurs forces, leurs fragilités, leurs personnalités et leurs choix...

Gérard : briser sa carapace pour guérir

Gérard est mon premier patient « grave » alors que je viens de m'installer comme thérapeute en santé globale : je travaille avec l'homéopathie, la réflexologie, la phytothérapie, la médecine chinoise et le toucher énergétique, sans rien perdre de mes connaissances classiques, mais en privilégiant l'écoute et les démarches de terrain dans mon approche.

Cet homme vient me voir, presque « traîné » par un de ses amis qui m'a déjà consulté pour des soucis digestifs. À 60 ans passés, il est atteint d'un important cancer du poumon « haut placé », donc inopérable, puisque trop près des gros vaisseaux. Le recours à la chirurgie n'étant pas envisageable, on lui a donc fait subir une chimiothérapie très invasive dans un centre hospitalier de Lyon, où il réside. Au bout d'un certain temps, les médecins l'ont renvoyé chez lui, car la chimio avait fait tellement baisser sa lignée sanguine blanche qu'il fallait faire une pause pour éviter une catastrophique aplasie. Donc on lui a dit d'attendre « tranquillement »... que ses globules blancs remontent, pour qu'ensuite on puisse reprendre de nouveau la chimio. C'est dans cet état-là qu'il arrive dans mon cabinet, à Cannes, où il a un bateau, des amis et où sa femme espère qu'il va se remettre un peu mieux. Pour lui, dans sa tête, le fait que l'hôpital le renvoie sans aucun traitement est signe de mort imminente.

Je reçois donc dans mon cabinet un homme extrêmement fatigué et qui ne croit en rien ni en personne. De toute évidence, se sentant abandonné et perdu, il se défend par un cynisme à la limite du désagréable : « Si je suis ici, c'est pour ma femme. J'en ai rien à faire, je vais crever, etc. » Le contact est difficile et manifestement refusé de sa part : quoi que je dise, mes explications tombent à plat et il s'en moque totalement ; en plus, pour cet homme misogyne et fier de l'être, j'ai le désavantage d'être une femme...

Ça commençait mal !

Faute de pouvoir entrer en contact réel avec lui, je suis partie dans la même direction et lui ai lancé abruptement : « Votre femme, je n'en ai rien à faire, si vous êtes ici, c'est pour votre peau ! Je vais procéder à des moxas, pour remonter un peu vos globules et diminuer votre fatigue, et si ça vous fait du bien, vous reviendrez. C'est à vous de voir. »

Il faut dire que, depuis le début de la consultation, il n'avait cessé de hausser les épaules et de pousser des soupirs. Le contact était resté au point zéro. Rien d'éclairant ne s'était passé dans notre entretien. J'en étais désolée, sentant bien tout le désarroi de cet homme, mais son attitude acerbe m'avait limitée à des gestes techniques.

Il me rappela pourtant dans la semaine pour me dire d'un ton grognon qu'il ne croyait absolument pas à mes machins, mais que, bizarrement, il se sentait moins fatigué et qu'alors si j'avais de la place, il était partant pour une autre série...

Ce fut dans cette deuxième consultation qu'il se passa réellement quelque chose qui allait ouvrir une brèche dans la maladie de Gérard. En effet, sûrement plus confiant et également moins diminué par la fatigue, il a consenti à une vraie consultation et il m'a laissé explorer ses antécédents personnels, médicaux mais aussi psychologiques.

Ses propos témoignaient d'un mépris assez incroyable des femmes, qui s'expliqua quand il m'avoua que sa mère était une alcoolique invétérée qui lui avait multiplié les promesses de s'arrêter de boire sans pour autant accéder à ses prières. Le petit garçon déçu tant de fois par sa mère ne ferait plus jamais confiance aux femmes...

Le rappel de son passé le fit pleurer, ce qui n'était vraiment pas dans sa nature, surtout devant une femme !

En toile de fond, au sentiment de trahison permanente vécu alors s'ajoutait le cadre funeste de la Deuxième Guerre mondiale : à l'époque, il a 6 ou 7 ans. Il vit à la campagne, avec sa famille. Un après-midi alors qu'il sort des toilettes au fond du jardin, il entend des tirs violents de mitrailleuses. Il ne sait absolument pas ce qui se passe, mais il est tétanisé. Cette peur de la mort, de la sienne pour commencer, puis de celle des siens, s'inscrit à jamais en lui, amplifiant le poids de sa responsabilité vis-à-vis de l'alcoolisme de sa mère. À sept ans, en plus de supplier sa mère d'arrêter de boire, et donc d'essayer de la sauver, il vit une peur énorme touchant la vie et la mort.

Or, le poumon est l'organe du premier cri et du dernier souffle. Organe de l'incarnation, nous l'avons vu, il est fragilisé dans nos peurs viscérales (peur pour notre vie ou celle d'autrui).

Gérard a survécu à ce double drame en se forgeant une carapace, faisant mine de se moquer de tout et profitant au maximum de la vie et de ses plaisirs. Il était dans cet état d'esprit quand j'ai fait sa rencontre. Comme il n'a pas voulu aller plus loin dans sa mise à nu, je n'ai pas réussi à toucher du doigt le facteur déclenchant du cancer. Mais le facteur programmant, c'est-à-dire la peur de perdre la vie, avait bel et bien été trouvé, et les larmes aussi soudaines qu'inattendues avaient ouvert une voie de passage...

Pour la première fois depuis l'époque de ses sept ans, cette consultation avait ouvert chez cet homme meurtri une brèche dans sa sensibilité définitivement enterrée dans les abîmes de son cœur. Ce que j'appelle une bombe à retardement avait fait son œuvre.

Trouver cela ne guérit certes pas le patient: et c'est là où certains pseudo « thérapeutes » inconscients ont fait des dégâts en prétendant sauver leur patient uniquement avec la découverte du facteur programmant ou déclenchant. La prise de conscience et la libération des paquets de mémoires et de chagrins, si elle est capitale, suffit rarement à régler le problème, la maladie ayant fait son œuvre depuis longtemps. Je n'ai vu qu'une fois un début de cancérisation stoppé par une prise de conscience. C'est le cas d'Antoine qu'on verra un peu plus loin.

Pour en revenir à Gérard, une fois cette brèche ouverte, un autre type de relation a pu s'établir entre lui et moi. Il me faisait confiance, même s'il continuait ses allusions misogynes et ses moqueries quant à ma foi. Je l'accueillais avec toute la compassion dont j'étais capable, laissant ma susceptibilité féminine au vestiaire…

Et Gérard a été le plus bel exemple de ce qu'on pourrait faire si les médecines se donnaient la main. C'est-à-dire qu'il est venu régulièrement pour que je remonte son immunité, en acupuncture, et en même temps au cours des entretiens, guérir ses blessures profondes. Il est retourné à Lyon, où on lui a dit : « Je ne sais pas ce que vous faites à Cannes, mais continuez : vos globules blancs sont remontés de façon extraordinairement rapide, on peut reprendre la chimio. » Il a repris ses traitements. Son cancer a diminué. Il a continué de venir après les chimio pour que « je le remonte »… se sentant guérir grâce à l'attention des médecins qui s'occupaient de lui, et moins atteint d'effets secondaires grâce à mes séances d'acupuncture. Il n'était plus abandonné (comme dans l'enfance) et son cœur d'enfant avait enfin fait la paix avec sa mère. Les blessures d'enfance enfouies sont des bombes à retardement : elles sont sources de déstabilisation émotionnelle ou de maladies.

Un matin que j'étais en consultation, le téléphone sonna : c'était lui. Il voulait me faire savoir qu'on l'opérait la semaine suivante et m'a dit textuellement : « Docteur Angelard, je suis guéri », ce à quoi je lui ai répondu : « Mais Gérard, je le sais que vous êtes guéri, et vous aussi ! Allez à la chirurgie confiant et on se revoit après. »

Effectivement, dans sa tête, Gérard était passé en mode guérison dès qu'il avait pu se libérer de ses blessures d'enfance et qu'il s'était senti accompagné. Néanmoins, il venait de faire un énorme pas, en se sachant apte à une intervention, alors qu'au départ son cancer était « inopérable ». Il était convaincu que la chirurgie allait lui enlever cette « saloperie » et qu'il allait guérir. Sa foi en la technicité lui donnait un appui solide.

La perception du malade est capitale, et son accompagnement aussi.

Après son opération, Gérard a été soumis à des séances de radiothérapie que j'ai accompagnées afin qu'il ne soit pas brûlé et qu'il ne soit pas trop fatigué.

Et il a définitivement guéri! À cette époque, les médecins usaient encore de ce mot. Actuellement, on ne dit plus à quelqu'un qu'il est guéri, même quand tout a été fait, qu'il a été pris au début et qu'il n'a plus de ganglions ni de métastases. On lui dit: «Vous êtes en rémission»...

Mais nous sommes *tous* en rémission! Comme l'a dit, je crois, Woody Allen: «La vie est une maladie sexuellement transmissible et mortelle...»

Gérard a donc guéri; il est parti sur son bateau naviguer pendant une année après cette année de mort et de renaissance... et je l'ai revu à la fin de son voyage. Il m'a fait un compliment à sa manière: «Docteur Angelard, vous savez que vous êtes terrible. Avant, je n'avais jamais les larmes aux yeux; à cause de vous maintenant, quand je vois quelque chose de triste à la télévision, j'ai les yeux mouillés!»

Son témoignage fait partie de ceux que je garde précieusement comme des perles. La vie nous en distribue quelquefois au détour du chemin: ces perles sont là pour nous confirmer que nous sommes dans la bonne voie!

Antoine: une résolution immédiate

Je connais Antoine, car il a eu son commerce à côté de mon cabinet. Homme dans la soixantaine, marié à une femme de 40 ans, ayant travaillé toute sa vie depuis l'âge de 14 ans, il a ainsi construit une petite fortune personnelle. Sa retraite imminente s'annonce prometteuse. Il jouit d'une sécurité matérielle confortable, est heureux en ménage, et en forme. Tout de même, pour s'assurer que tout va bien, il a l'habitude de faire des analyses sanguines une fois par an. Or là, il arrive catastrophé, car son taux d'antigènes prostatiques spécifiques est inquiétant, et l'urologue qu'il a consulté lui parle d'une intervention rapide, car sa prostate a vraiment augmenté de volume et présente des signes suspects. Ce diagnostic explique donc pourquoi depuis deux ou trois il doit se lever souvent la nuit pour uriner.

Chez l'homme, la prostate est l'organe de la paternité, comme l'utérus est celui de la maternité chez la femme.

La prostate assurant la descendance, elle est de ce fait liée aussi à la « puissance », à la potentialité de devenir père. Tout cela, je le sais fort bien d'emblée, mais je ne fais pas le lien du tout avec l'histoire d'Antoine. Je reprends la sienne depuis le début ; et sans trop insister, je cherche un lien dans son histoire de vie qui aurait pu allumer cette pathologie ; car si on trouve l'interrupteur, à ce stade, on aura peut-être une chance d'éteindre le feu…

À première vue, Antoine semble avoir tout pour être heureux, à part ce maudit taux de « PSA » !

— Mais enfin Antoine, quel a été votre dernier stress ?

— Aucun…

— Cette retraite, comment la voyez-vous ?

— Bien…

— Quel effet ça vous fait d'être à la retraite ?

— Pour dire vrai, j'ai tout de même l'impression d'être un peu comme un proxénète qui touche de l'argent sans rien faire sur le dos de quelqu'un…

Je tenais la problématique : l'argent, signe de pouvoir, de puissance. Acquis sans efforts, l'argent était chez lui interprété sur un mode sexuel malsain. Cet homme qui avait travaillé dur toute sa vie recevait depuis quelques mois un salaire conséquent sans « rien faire » et il assimilait cela à quelque chose de honteux ; son cerveau amalgamait l'idée d'avoir de l'argent sans rien faire au proxénétisme. *Tout est une question de ressenti.* À partir de ce ressenti très personnel, la biologie d'Antoine s'emballait à un moment donné de sa vie, dans une prolifération cellulaire anarchique au niveau de l'organe correspondant sur le plan symbolique. Sûrement qu'au début de son histoire, dans son milieu socioculturel, dans la couleur et le décor de son enfance, ne pas travailler pour gagner sa croûte était considéré comme humiliant. Fort de cette conviction et de son honneur d'« honnête homme », il avait acquis sa fortune en travaillant toute sa vie depuis ses 14 ans.

Comprendre cela n'aidait en rien Antoine ; cependant, lui faire prendre conscience, doucement, de ce mode de fonctionnement et le démonter pièce à pièce, ne fut pas très difficile : Antoine lui-même s'étonnait de sa réaction et il n'avait osé en parler à personne, avant cette consultation, trouvant cela ridicule...

Le mécanisme mis à plat et démonté, il allait pouvoir mieux aborder la suite.

On avait décapité la pieuvre qui avait commencé à faire son œuvre ; restait à l'urologue le soin de s'occuper des tentacules de la pieuvre...

Le reste de l'histoire est digne de mention. Lorsqu'Antoine rentra chez lui, il alla dormir sur cet échange. Au réveil, il revint à lui avec la nette sensation (*dixit* Antoine) « d'un nuage gris qui sortait de sa tête »...

Une semaine plus tard, lors de la visite chez l'urologue, il n'y avait plus rien à l'examen clinique, ce que confirmèrent les examens biologique et échographique subséquents. Je n'ai été témoin que d'un cas de ce genre dans ma pratique. Nous avions, Antoine et moi, eu la chance de désamorcer la pathologie à son tout début, de décapiter la pieuvre qui venait de se réveiller. La plupart du temps, les patients arrivent alors que la pathologie est installée depuis un certain temps.

C'est là où décoder, comprendre est toujours indispensable mais, à part quelques rares exceptions, reste insuffisant pour guérir complètement. Les thérapeutes qui misent uniquement sur le décodage s'exposent à de graves erreurs. Croyant guérir leur patient, ils ne font que désamorcer un facteur déclenchant (important au demeurant) et oublient de prendre en compte qu'une physiologie s'est mise en route. Pour revenir à notre image, ils laissent en suspens les dégâts occasionnés par les tentacules de la pieuvre qui continuent leurs manœuvres dans la physiologie.

Les résolutions totalement spontanées sont rares en réalité et, en tout cas, il est nécessaire de toujours renvoyer son patient vers le cancérologue ou le spécialiste qui le suit.

Pour terminer sur ce chapitre, notons que toutes les pathologies de la prostate ne correspondent pas à cette histoire trait pour trait ; mais on y retrouve invariablement au niveau du ressenti une faille dans la notion de paternité, de puissance virile, parfois une tristesse, une déception relative à cette paternité, ou à cette puissance diminuée ; mais toujours un rapport négatif dans la fonction masculine.

En ce qui concerne les déclenchants du cancer de la prostate, j'ai vu dans ma pratique toutes sortes de variantes : un homme qui venait d'apprendre le viol de sa petite-fille, un père contraint d'être souvent physiquement absent de chez lui, mais essayant de rester proche de ses enfants, qui finit par se sentir relégué au rôle de pourvoyeur, un futur grand-père voyant dans le fait que sa fille devient mère une baisse de séduction et de puissance, sans compter les autres pathologies liées à des paternités symboliques, comme celles d'une entreprise.

Tout au départ est une question de ressenti dans une tonalité en rapport avec le symbolisme de l'organe.

Dans le cas d'Antoine, la prise de conscience de sa vision distordue, qui lui faisait associer l'argent gagné facilement à du proxénétisme, avait totalement libéré l'organe atteint, et ce fut une réelle joie. La guérison lui en revenait totalement : il avait pu puiser en lui la force d'expulser totalement « la pieuvre ». Nos patients nous arrivent assez peu souvent au début de leur pathologie et n'ont pas tous cette capacité.

Nous ne sommes pas égaux face à la maladie ; aussi dure soit-elle, cette vérité existe ; notre histoire familiale, notre histoire personnelle sont autant de forces ou de fragilités ; c'est selon... Par contre, nous ne savons jamais quelles forces peuvent se cacher à l'intérieur de nous ; et tout l'art du thérapeute sera d'aller les réveiller. Il serait temps également d'arrêter de se battre contre la maladie, mais plutôt d'essayer de la traverser ; car, dans la notion de combat, on risque d'épuiser ses forces et surtout de passer à côté de ce qu'est venue nous dire notre pathologie.

La maladie est un voyage que notre Être nous impose un peu pour nous obliger à le reconnaître...

Laure : juste être entendue... et retrouver une certaine paix ; en tout cas, arriver à voir l'amour dans sa vie

Mère de deux filles et grand-mère, Laure, 75 ans, est arrivée dans mon cabinet de Montréal, après m'avoir entendue à la radio parler des études réalisées sur le transgénérationnel.

Elle vit depuis près de cinquante ans avec son mari qu'elle ne supporte plus. Son mariage, convenu lors de ses 25 ans, est peu assorti : elle, brillante, fille d'un médecin renommé, très cultivée et ayant terminé des études universitaires ; et lui, simple enseignant, venant d'un milieu plus modeste, préférant le sport et l'informatique aux arts et aux lettres.

C'est elle qui a la fortune et la « finesse »... Elle ne supporte plus son conjoint au point de me confier que, lorsqu'elle le voit devant son ordinateur, elle a envie de le tuer !

Pourquoi s'est-elle mariée avec lui ? Parce qu'il le fallait bien : toutes ses amies l'étaient. Elle était la seule à avoir « tardé » afin de poursuivre des études universitaires. C'était « un bon gars »...

Elle vient me consulter, car elle souffre de douleurs musculaires dans le dos que rien ne calme. En l'interrogeant, j'apprends par ailleurs que, depuis l'âge de 11 ans, elle souffre de vaginites à répétition.

Pendant près d'une heure, tout son discours est centré sur sa haine, et le mot n'est pas trop fort, sa haine de l'homme : je comprends qu'elle ne supporte pas vraiment les hommes en général. Je le lui amène doucement et essaie de voir avec elle d'où lui vient cette colère face aux hommes « qui ont muselé, enfermé, limité les femmes ». À quelle époque, et auxquelles des femmes de sa lignée fait-elle référence ? Elle prend conscience et convient avec moi que sa colère ne date pas d'hier et englobe toute la gent masculine... Comment une petite fille qui n'a eu aucun contact sexuel peut-elle déclencher une vaginite, et en faire toute sa vie ?... À 11 ans, elle porte déjà en elle une colère (la terminaison « ite » signe toujours une colère non dite qui va s'exprimer dans une zone bien précise révélatrice de la problématique profonde). C'est le signe qu'il doit y avoir énormément de rancœurs, de colères face à une sexualité mal vécue qui est passée dans ses mémoi-res... Les non-dits, les tabous, les secrets et les émotions non réglées se transmettent tellement bien d'inconscient à inconscient... Tous les travaux sur le transgénérationnel d'Anne Ancelin Schützenberger l'ont largement illustré.

On sait de plus qu'une problématique ressentie forte-ment sur un mode négatif aura toutes les chances de «sor-tir» de manière organique, quatre générations plus tard; autrement dit, le vécu douloureux, refoulé de nos arrière-grands-parents viendra s'exprimer dans la matière, le physi-que actuels... Comme si un message douloureux se répétait de génération en génération jusqu'à trouver une résolution. Résolution qui passe d'abord par la prise de conscience de la problématique et par un baume d'apaisement ensuite...

J'ai vu Laure cinq fois en consultation et j'ai assisté à une véritable libération de sa personnalité. Sa colère en étant exprimée, et entendue aussi... a pu fondre. La colère lèse la vésicule biliaire et, à long terme, le foie... Le foie, quant à lui, gouverne les muscles. Toute cette colère engrammée depuis sa tendre enfance, puis relayée par les circonstances de sa propre vie, ont fait le lit à la fois de ses vaginites, par réso-nance à son histoire transgénérationnelle, et de ses douleurs musculaires, plus récentes.

Le plus drôle, c'est qu'après plus d'une heure lors de notre premier entretien, lorsque je lui ai proposé un remède de fond en homéopathie pour la remettre sur son énergie pro-pre, un peu comme on règle un instrument, elle a refusé: «Docteur, je ne crois pas à l'homéopathie, je veux juste vous parler, et vos traitements manuels me feront du bien!»

D'où l'importance d'être entendue et de pouvoir poser là ses paquets de chagrins et de mémoires... Ensemble, on a fait un bout de chemin et la libération a eu lieu. C'est au bout de la quatrième séance que Laure m'est revenue en me disant qu'elle s'était entendue dire à son mari qu'elle l'aimait bien tout de même, car il avait été un bon père et un compagnon fidèle dans les coups durs de la vie ! À 75 ans, Laure venait de comprendre que, bien au-delà des différends avec son mari, ce qui l'avait le plus perturbée, c'était sa colère contre le genre masculin, qui dépassait de beaucoup ce qu'elle avait pu vivre. Elle a été capable de faire la part des choses et de reconnaître le bon, l'amour reçu, malgré tout !

> *Le parcours de Laure en quelques mois a été prodigieux, et elle est repartie libérée, autant de ses douleurs musculaires que de ses fantômes colériques.*
>
> *Qu'on ne vienne pas me dire qu'à un certain âge il est trop tard !*
>
> *Laure a fait plus de chemin en quelques mois que beaucoup en toute une vie…*

Juliette : découvrir qu'on a été aimé

Juliette est une femme que la vie n'a pas épargnée : elle a perdu sa mère à 11 ans d'un accident de voiture et ne s'est jamais vraiment guérie de ce deuil.

Elle a aujourd'hui 65 ans et traîne une déprime récurrente. Mal aimée par les hommes de sa vie, ayant élevé seule son fils, elle se trouve aujourd'hui assez seule, dans un bilan triste et douloureux : elle se sent depuis toujours incomprise…

J'ai accompagné cette femme par un multiple traitement incluant l'homéopathie, la phytothérapie et le toucher énergétique. Ce dernier a été, je crois, le plus puissant pour elle, car en mettant les mains sur elle, j'ai fait enfin se libérer chez elle des vagues de souffrance ; même si cela passait par des pleurs, cela l'allégeait. Il a fallu beaucoup la rassurer face à ces explosions d'émotions qui venaient la submerger tant pendant le traitement qu'après.

Le drame de Juliette remontait au matin où sa mère et sa grande sœur étaient parties en voiture pour faire des courses afin d'installer cette dernière en ville. Juliette avait voulu les accompagner, mais sa mère avait refusé, car Juliette avait été pénible auparavant ; il n'était pas question qu'elle l'amène. Elles se sont quittées fâchées... et quelques heures plus tard, la police arrivait à la maison pour annoncer la nouvelle du drame et ramener le sac à main de sa mère ! Puis, plus rien. La jeune fille s'était enfermée dans sa douleur muette et dans l'idée que sa mère préférait sa sœur...

Au fil du temps, elle avait cherché tant bien que mal à enfouir cette peine et cette carence d'amour maternel, mais ces sentiments douloureux l'avaient suivie tout au long de sa vie, voire parasitée au point qu'elle avait répété ce « mal-amour » dans toutes ses relations affectives. C'est après s'être douloureusement libérée de ce trop-plein de souffrances qu'un jour Juliette est arrivée chez moi en me disant qu'elle avait enfin senti que sa mère avait dû l'aimer à sa façon, qu'une maman aime toujours son enfant et que le sentiment qu'elle avait entretenu était celui d'une petite fille boudeuse. Juliette avait cheminé jusqu'à ce point du passé bloqué au niveau de l'émotionnel et était enfin capable de parler à la Juliette de 11 ans. Sa découverte profonde de l'amour maternel illuminait son visage. À 65 ans, Juliette s'était enfin affranchie de la rancœur qui avait pollué sa vie. Ce fut une démarche personnelle, efficace car ressentie. Le toucher thérapeutique en avait marqué le début, mais l'ostéopathie ou la psychanalyse auraient pu en faire tout autant ; néanmoins, le toucher thérapeutique, en quelques séances, avait libéré ces nœuds de mémoires et de chagrins bloqués.

Ce qui est capital, c'est le travail personnel du patient ; lui-même est l'artisan de sa libération. La voie empruntée peut être encadrée différemment par le thérapeute, mais le rôle essentiel de ce dernier est d'amener son patient à cette libération en l'amenant d'abord dans une prise de conscience puis en respectant ses douleurs pour mieux les panser. La technique n'est ni savante ni compliquée : juste poser le bon geste, prononcer la bonne parole et écouter, écouter encore, laisser avancer en donnant la main, tant au sens propre qu'au sens figuré, lors des passages difficiles...

Les années passées, même douloureusement passées, ont au moins le mérite de nous donner le recul qui nous manquait à l'époque...

En parvenant à se reconnecter avec la juste réalité de l'amour de sa mère, qu'elle avait perdu dans des circonstances aussi malheureuses que brutales, Juliette a pu finir son travail de guérison profonde et lâcher ses antidépresseurs pris de façon récurrente depuis des années !

Juliette a pu guérir par le fait seul qu'elle a été capable de dépasser sa bouderie d'enfant blessée et de sentir avec justesse l'amour de sa mère, reprenant ainsi un fil de vie interrompu depuis trop longtemps.

Le cas de David élargit ma notion du chemin de la guérison

Qu'est-ce que guérir ? Voir ses symptômes disparaître ? Peut-être, mais pas uniquement. Guérir, c'est surtout retrouver un espace de liberté : se sortir de l'enfermement où la maladie nous maintient. Alors, bien sûr, le soignant autant que le patient visent la rémission des symptômes au complet. Avec David, je vais apprendre autre chose.

Pour sa part, la MTC nous apprend que la maladie est un blocage d'énergie qui ne circule plus librement dans le corps et qui finit, tôt ou tard, par entraîner des manifestations symptomatiques. La guérison, c'est donc une remise en circulation de cette énergie. Que ce soit par de la digipuncture, par une prescription d'homéo, de phyto ou même d'allopathie. Ou encore par une parole, une prise de conscience, une résolution de conflits que l'on porte en soi depuis des années, parfois depuis plusieurs générations....

Guérir, c'est se délester de ce qui alourdit notre vie, au risque même de mourir, mais de mourir libre...

Qui a dit que l'enfer, c'était cette partie de l'au-delà où Lucifer, une fourche à la main, attend « les affreux et les méchants » pour les faire rôtir ? Comment a-t-on pu inventer de telles sornettes ?... L'enfer est déjà ici-bas : ce sont nos enfermements... Comment les traverser pour que notre vie ait servi à quelque chose ? Comment se défaire de la maladie, physique, émotionnelle ou psychique en ne s'y assimilant plus ? Oui, je suis enfermée avec telle ou telle pathologie, oui je souffre de telle ou telle situation, mais comment puis-je trouver la voie lumineuse qui m'en libérera ? Je ne suis pas que ma maladie, ma souffrance ou mon histoire.

C'est ce qui guide de plus en plus mes consultations : l'accompagnement. Accompagner la personne qui vient nous voir avec nos outils (médecine classique ou médecines douces, qu'importe finalement). Je dis bien accompagner la traversée, pas diriger le voyage.

C'est ainsi qu'un jour m'arrive David, la petite cinquantaine, et des douleurs féroces au dos depuis plus d'un an, qu'il a négligées, accompagnées de troubles digestifs, le tout plus ou moins bien calmé par des antalgiques. Il vient me voir la veille d'aller passer un scanner, car son gastroentérologue soupçonne un gros problème derrière tout ça.

Quand David est dans mon cabinet, il me parle de sa peur du verdict du scanner. Il sait déjà qu'il a quelque chose de « moche ». Il s'attend au pire, et moi aussi, vu sa couleur de peau et son regard d'animal traqué que la douleur lui a laissé au fond des yeux. C'est sûr, il y a une sale histoire là-dessous. On sent son patient avec ce fameux flair dont m'avait parlé un médecin lorsque j'étais étudiante. Plus de doute, les années ont passé, et je crois bien que je l'ai, ce flair.

Bon, mais David est là, et comment vais-je pouvoir l'aider ? Je me souviens lui avoir dit que, quel que soit le résultat, il fallait de toute façon que je l'aide à résoudre les paquets de chagrins et de mémoires qui semblaient l'étouffer, et qu'une fois cela fait, on verrait… Cancer ou pas, il fallait l'aider. Et peut-être que son corps aurait encore les ressources nécessaires pour remonter. Là, il était au pied du mur, mais il n'était plus seul à essayer d'avancer. J'allais l'aider à passer ce cap…

Je n'étais pas très rassurée moi non plus, car mon instinct me parlait d'obscurité plutôt que de lumière.

La consultation me dévoile en effet un homme tourmenté qui a laissé s'accumuler un incroyable fardeau sa vie durant.

Même s'il vit avec une femme qui l'aime et que sa vie va plutôt bien, il est incapable d'être vraiment heureux, se sentant toujours contraint de « devoir » faire ceci ou cela. Il voit les aléas incontournables de la vie comme autant d'injustices à son endroit et comme preuve récurrente que le bonheur n'est pas pour lui. Ainsi, ce braquage récent de son restaurant…

Son extrême sensibilité et son enfermement dans les convenances remontent à ses six ans : tout son monde s'était écroulé quand on l'avait envoyé en pension, il s'était senti en danger, sans personne pour prendre soin de lui. Depuis, sa vie avait été une série d'injustices et, pour survivre, il s'était obligé à respecter le cadre du « il faut ou il ne faut pas ». Ni l'amour de sa femme ni ses éventuelles réussites n'avaient pu l'amener à s'ouvrir autrement à la vie.

Malgré son sentiment mitigé envers ses parents, encore actuel après tant d'années, il gardait dans sa chambre le premier prix de piano de son père, un portrait de Beethoven à la fin de sa vie, le regard ténébreux et sombre. Ce portrait en face de son lit lui pesait. Lorsque je lui ai demandé pourquoi il le gardait, il m'a répondu avec un air de fatalité que c'était le premier prix de piano de son père et qu'il croyait de son devoir de le garder... Alors, doucement, pendant près de deux heures, j'ai cheminé avec David, sur une route toute nouvelle pour lui. Je lui ai juste montré qu'il pouvait y avoir autre chose : qu'il pouvait garder tout le respect dû à son père et à sa famille sans pour autant ne pas vivre pour ce dernier ! Qu'il serait bon qu'il défasse tous ces nœuds, qu'il laisse aller toutes ces choses qu'il n'aimait pas mais qu'il gardait par devoir. Nous avons longtemps parlé, lui de ses douleurs, moi de la nécessité de remettre son corps et sa maison en mouvement.

Je ne lui ai rien donné, il avait son scanner le lendemain ; il me rappellerait pour me dire la suite. J'ai eu un coup de téléphone de sa femme, Nicole, avant le sien... Elle m'a demandé ce que j'avais pu dire à son mari, car en rentrant, il s'était attaqué à un ménage phénoménal de la maison où il l'avait d'ailleurs entraînée, et ainsi, ils avaient relégué au grenier tout un tas de vieilles affaires! Elle en était heureuse, mais ne comprenait pas bien...

Par la suite, j'ai eu les nouvelles que malheureusement je prévoyais : le scanner avait montré une masse au pancréas.

David m'a appris cela avec une énergie surprenante. « Docteur Angelard, je me fais opérer, et après vous me requinquez, n'est-ce pas ? »

« ...! »

L'intervention a eu lieu une semaine plus tard. J'ai téléphoné au chirurgien le jour même, qui me dit laconiquement : « Je n'ai rien pu faire : tout est envahi. Quinze jours, un mois maximum. Sa femme est au courant. »

David s'est levé très vite de son intervention, qui n'en était pas une, et il est venu me voir pour « que je le requinque, que je continue le travail... »

« J'ai enfin compris quelque chose, et je me libère de toutes mes souffrances. »

Je l'ai aidé du mieux que je pouvais au niveau des douleurs, et mes séances sont arrivées à l'apaiser quelques jours, mais pas plus ; et de moins en moins longtemps. En revanche, il avait découvert une joie qu'il semblait ne jamais avoir eue auparavant. C'est avec cet état d'esprit qu'il a mis de l'ordre dans ses affaires de façon efficace, rapide.

Il a vendu son restaurant, épousé sa compagne avec qui il vivait depuis vingt ans et il a profité des heures où la douleur lui donnait un répit pour s'accorder des promenades dans la nature qui le rassérénaient véritablement.

Tout le monde, c'est-à-dire Nicole et ses amis, s'est mis à espérer, à croire à une vie retrouvée. Tout le monde sauf David et moi... car mes mains sur son corps souffrant ne se trompaient pas. Je savais très bien que David était conscient que la route allait bientôt finir, mais il était libre, libre de ses peurs, de ses angoisses ; souffrant, oui, et parfois beaucoup même, malgré les antidouleurs qu'il prenait. Une part de lui connaissait l'issue, mais ça n'enlevait rien à sa joie de fonctionner enfin libre ! Quant à moi, j'ai assisté impuissante à cette fin de vie lumineuse autant que douloureuse. Je me souviens de sa dernière consultation, un samedi après-midi. Il avait un mal fou à se déplacer et il n'était que douleurs. Assis en face de moi, il m'a remerciée pour ce que je faisais pour lui. Je l'ai arrêté très vite dans ce discours, car je me sentais tellement impuissante ! Lorsqu'il a été allongé sur ma table de soins (où j'allais faire je ne sais quoi vraiment), j'ai eu l'impression d'avoir sous les mains le corps du Christ descendu de la croix, tel qu'on le voit sur les tableaux du Greco… Ce n'était que douleur et masse dure. Rien ne circulait dans ce corps. Seuls les yeux de David étaient vivants, et quelle joie et quelle vie dans ces yeux-là !

Pendant toute la séance de toucher thérapeutique, j'ai prié.

Oh, pas pour demander la guérison, nous avions dépassé cela depuis longtemps. Non, j'ai simplement demandé la grâce de Dieu pour venir sortir David de cet enfer, pour le libérer de la façon la plus douce possible.

Je crois bien avoir prié du même coup pour toutes les souffrances du monde, qui cet après-midi-là étaient concentrées dans ce corps noué sur ma table de soins. Et ce fut la première séance de toucher thérapeutique qui ne fut en fait qu'une prière intérieure continue.

Lorsqu'il s'en alla avec Nicole qui était venue le chercher, David était apaisé, et « bien » autant qu'il pouvait l'être. Nous nous sommes dit un au revoir tranquille, mais profond.

Il n'y avait rien d'autre à dire.

Un calme de plomb m'a envahie lorsqu'il a franchi la porte. Par la suite, j'aurais bien aimé partager avec des proches le ressenti particulier que j'avais vécu avec lui, mais à chaque tentative je me suis heurtée à des mots d'encouragement perpétuant le déni : « Tu sais, il peut encore s'en sortir : regarde, ça fait trois mois qu'il tient, alors qu'il devait mourir tout de suite ! »

Ce que les autres ne comprenaient pas, c'est que si c'était fini pour David, fini pour son corps s'entend, lui avait déjà commencé à vivre autrement.

J'avais eu, sous mes mains de soignante, à la fois la douleur du corps physique, qui représentait toutes les souffrances du monde, et toute la lumière de l'espérance, de la joie dans le regard de David. En fait, il était vraiment ressuscité avant de mourir.

Le mardi qui suivit, tôt le matin, David a rendu son dernier soupir, en paix m'a précisé Nicole, qui s'était mise, elle aussi, à espérer à une rémission complète. Elle m'assura qu'il n'avait jamais vécu comme ces trois derniers mois où il s'était libéré de tant de choses, après avoir trouvé une espérance nouvelle pour lui...

David était parti guéri... Quelle leçon ! Avec lui, j'ai appris l'importance de régler ici-bas, avant de partir, ses paquets de mémoires et de chagrins. Son exemple démontre que la résolution semble ouvrir à une Vraie Vie, à une Lumière extraordinaire qui, sans annihiler la souffrance, ouvre une brèche sur un espace inconnu jusque-là, et tellement libérateur.

Carole : comment l'union peut faire mentir les statistiques

Carole est arrivée récemment à mon cabinet après avoir lu un ouvrage sur la santé globale auquel j'ai participé.

Elle a un diagnostic de cancer des poumons, avec métastases au foie.

Convaincue que ce cancer est là pour la faire cheminer, elle s'est renseignée sur les autres alternatives et se présente à moi après avoir suivi le « protocole » officiel de chimiothérapie, dont elle ne veut plus.

Certes son teint, ses yeux et ses pouls en MTC ne me disent rien qui vaillent et confirment les diagnostics posés.

Il n'empêche que nous entreprenons un vrai traitement de fond, remontant d'abord l'immunité de son système avec des produits naturels, mieux supportés ; puis, allant vers les origines de son cancer du poumon.

Même si elle me semble à plat, je l'incite à reprendre la pratique du chant. D'abord, elle le fait depuis toujours, et remarquablement bien. Ensuite, le chant est sous la dépendance de l'énergie du cœur…

Je l'envoie par ailleurs chez mon amie Stéphanie, une massothérapeute hors pair, pour qu'elle se réapproprie ce corps qui est le sien et que plus personne n'ose toucher, tant il est fragilisé par les séances de chimiothérapie.

Stéphanie fait partie de ces massothérapeutes qui font plus que dénouer des muscles ou autres blocages anatomiques. Elle travaille avec la lumière de son cœur au bout de ses doigts, et tous ses patients le sentent. Elle va rechercher la force de vie là où elle est bloquée et la fait circuler. Carole s'en rend compte très vite. Nous travaillons donc ainsi toutes les trois dans le même sens : nous, par notre doigté professionnel, Carole, par sa reconnexion au chant et à l'énergie de son cœur. Je lui conseille en outre de continuer à se brancher sur le beau et l'heureux dans ce qui l'entoure.

Si la chimio initiale a été utile, maintenant on s'attaque au germe de la maladie. L'allopathie a joué son rôle ; l'énergétique va finaliser.

Au fil des jours, Carole est transformée : elle a retrouvé un teint mieux oxygéné, une énergie et une joie également oubliées depuis bien longtemps. Elle ne s'est jamais aussi sentie vivante depuis quelques mois, contrairement à ce que la lecture de son dossier médical pouvait laisser supposer.

À l'encontre de toutes les statistiques la condamnant depuis longtemps, Carole va aussi bien que possible, est belle et heureuse. La Lumière circule en elle, et pour un bout de temps encore...

L'union de techniques énergétiques, de massages sensibles a dénoué des paquets de chagrins et de mémoires, permettant à Carole de se connecter de nouveau à son cœur, lieu de tous les possibles. J'aime beaucoup contredire les statistiques... surtout quand la Vie prend le dessus, au moins pour un temps.

V

Éveil à plus grand que soi en soi

Créer non posséder; œuvrer non retenir;
accroître non dominer.

Lao tseu

La conscience d'être « traversée » par quelque chose sur quoi je n'ai aucune prise, si ce n'est de la suivre, et qui est intime à l'individu est maintenant intégrée à mon approche avec mes patients.

Je retrouve cette verticalité qui fait l'homme un peu plus « humain »... Ce pont entre le Ciel et la Terre, nous dit la MTC...

Je retrouve le Qi, ou le Flux de vie et je n'ai qu'à l'écouter, le respecter et le libérer.

Cela n'exclut pas une prescription, si cette dernière va dans le sens du courant de vie et si elle n'est pas là uniquement pour « camoufler » un problème. Chaque fois que nous, les thérapeutes, recourons à une ordonnance, nous devrions-nous demander si ce que l'on donne va dans le sens d'une restauration du Qi ou dans le sens d'un « camouflage ».

Passé un certain cap, la maladie peut nécessiter la prise de médicaments lourds, c'est certain. Mais à côté de l'arsenal prescrit, que fait-on pour dégager le filet de vie qui s'obstine à faible bruit et qui attend que quelqu'un veuille bien le réveiller ? L'homéopathie bien prescrite, l'acupuncture, le toucher énergétique, l'ostéopathie, toutes ces techniques sont là pour cela.

Calmer une douleur, éradiquer une infection « flambante » ou un désordre métabolique nécessiteront souvent une prescription allopathique, mais utilisons cet arsenal lourd pour « passer une étape », à court terme, et prenons le temps de savoir ce qui se passe sous le symptôme !

Prenons le temps, c'est le maître mot. C'est ce dont a besoin le patient : du temps pour être entendu et pour s'entendre en même temps. En nous parlant de lui, il prend souvent en effet conscience d'évidences qui lui étaient jusque-là cachées : « Je vous prête mes oreilles afin que vous vous entendiez mieux », disait la célèbre psychanalyste Françoise Dolto.

Du temps pour écouter, observer, apaiser. Écouter… Avec ses oreilles, mais aussi ses yeux, son cœur. Autrement dit, soyons sensibles à ce qui se dégage vraiment de notre patient, ce qui est véhiculé avec ou en dessous de son malaise pour lequel il consulte.

Prenons le temps de le regarder dans les yeux et de lui serrer la main. C'est terrible de constater que certains médecins ne voient dans leur patient qu'un dossier clinique à régler, et font suivre leurs prescriptions par l'intermédiaire d'une infirmière ou d'une secrétaire, traitant ainsi, volontairement ou involontairement, leurs patients « de haut ».

« J'ai appris qu'un homme a le droit de regarder un autre homme de haut seulement quand c'est pour l'aider à se lever », disait Gabriel Garcia Marquez.

Le même remède, donné avec attention à celui qui le reçoit, sera toujours plus efficace qu'une ordonnance dépersonnalisée et remise par une secrétaire...

Grâce à mes patients, depuis «mon» tout premier malade à l'hôpital de Toulouse, je commence à savoir qu'il y a autre chose que nos lois, nos méthodes, nos petites ou grandes intelligences, nos techniques, aussi perfectionnées soient-elles. Il y a aussi une loi douce et forte à la fois, qui donne le «la» comme en musique et qui est capable de remettre de l'ordre dans nos corps autant que dans nos esprits. Comment «accorder» au mieux mon patient, non pas en fonction de ce qu'est pour moi le «la», mais en fonction de sa note à lui? Sur quel note résonne-t-il?... Comment, par une note juste, harmoniser le patient?

Oui, j'aborde maintenant mes consultations avec le cœur ouvert, tourné vers une aide supérieure, une ouverture au divin. Car c'est bien lorsque celui-ci est à l'œuvre, que la guérison a lieu. C'est-à-dire lorsque ce contact avec la dimension sacrée de l'individu se fait. Par ce contact au sacré, au cœur de l'individu, la chimie du corps se remet en ordre.

Je suis sûre qu'il se produit une vraie guérison au niveau moléculaire par le fait même qu'il y a eu reconnexion à un espace guérissant à l'intérieur du corps. C'est ce que les chercheurs du XXIe siècle sont en train de nous confirmer.

Cet espace est différent chez chacun de nous; tout comme nous en avons aussi différemment conscience. Pour certains, ce que j'écris semblera totalement farfelu, car ils n'ont encore jamais expérimenté cette approche; pour d'autres, ce sera une évidence.

Qu'on appelle cet espace de guérison la Présence, le Sacré, l'Énergie de parcelle divine, le grand Moi, etc., c'est de là que se produisent les guérisons « miraculeuses » venant toujours d'un retournement intérieur. Un tel retournement trouve ses origines dans la prière ou la méditation, ou dans un cheminement thérapeutique (quel qu'il soit, j'ose l'écrire), voire une prise de conscience personnelle.

Le divin, le sacré sont intérieurs à l'individu et vraisemblablement au niveau de ce cœur empereur dont parle la MTC ; ils sont intérieurs à tout individu. Dans cette approche, il n'est pas affaire de chapelle ou de culte religieux, mais de ce qui est commun à l'espèce humaine : sa dimension sacrée qu'il a connue, puis oubliée, puis enfin retrouvée...

Comme nous l'a enseigné Annick de Souzenelle, le « péché », c'est-à-dire l'erreur (pour être au plus juste de la traduction du mot grec *amartia*), a été de chercher à l'extérieur la connaissance, au lieu d'aller la trouver à partir de ce retournement intérieur (cette conversion au sens propre du terme *con-vertere* : se retourner).

Le sacré n'est pas uniquement une affaire d'Église. Là encore, nos sociétés, nos cultures, nos cerveaux, nos besoins de pouvoir ont pris le dessus. Non, ce sacré de l'individu, c'est une chose tellement plus subtile, et plus évidente en même temps. Ce qui fait que l'on se sent un peu plus grand, un peu plus au large, un peu moins seul, mais habité par quelque chose qui ne se nomme pas, n'existe pas au sens d'ex-ister, c'est-à-dire d'être à l'extérieur.

Toutes ces définitions sont imparfaites, car trop restrictives.

Le sacré de l'individu, c'est ce « Cœur » qui est « un pâle reflet de l'énergie céleste », dit la tradition chinoise... Et c'est lui l'Empereur de l'empire que constitue le corps du Sujet.

Le « Cœur », c'est... ce qui fait qu'un humain qui n'a jamais vu un autre humain lui tendra la main pour le secourir s'il se trouve en péril.

Ce qui fait que l'on se sent relié à un fil invisible mais tellement présent.

Ce qui a donné le « Tout à coup je n'étais plus seul » de Claudel lors de sa révélation à Notre-Dame-de-Paris...

Ce qui fait qu'un thérapeute a la conscience aiguë qu'une dimension de son patient est en train de s'ouvrir, qu'il en est juste la clé, mais que l'ouverture appartient au patient, tels les cas de Laure, Antoine, Pierre, Mélissa, David et tant d'autres.

Ce qui fait que, lorsqu'un thérapeute participe à une véritable renaissance, une émotion monte toujours en lui, tout autant que dans le Sujet lui-même.

Ce qui fait que, lorsqu'on accompagne quelqu'un pour son dernier voyage, on sait, on sent qu'à un certain stade, seule la présence dans le même souffle auprès du mourant est l'acte juste.

Ce qui fait, enfin, le silence respectueux face à une dimension qui nous dépasse, la naissance autant que la mort. Avez-vous regardé un nouveau-né en conscience, pas dans l'attendrissement familial, non, en toute conscience ? La Vie s'incarne là dans cet être fragile, mais regardez ses yeux : ils ont une profondeur extraordinaire et nous parlent de choses graves. Ils savent encore bien des choses, qu'ils vont oublier ensuite et passeront toute leur vie à les rechercher...

La naissance comme la mort constituent un même mystère que nos sciences ne pourront jamais complètement percer tant qu'elles voudront le rationaliser, le formater, le maîtriser. C'est dans notre capacité à nous émerveiller que l'on pourra peut-être grandir et saisir l'insaisissable.

Voilà ce que j'ai eu la chance de ressentir tant dans ma pratique que dans ma propre vie. Mais ce sont bien mes patients qui m'ont mise sur la voie, complétant l'enseignement, le plus souvent non verbal, de mes patrons, l'exemple tenant lieu d'explication.

Aide supérieure, mais pas extérieure

Être «présent», aligné, centré… autant d'adjectifs qui tentent de définir une attitude de neutralité et d'écoute; pas une écoute de mes propres pensées, de mes suppositions ou de mes analyses; non, pour que le thérapeute arrive à atteindre la qualité de présence nécessaire, son attention doit se tourner totalement vers l'autre. L'étape des analyses et du raisonnement logique s'est déroulée en avant-scène, durant l'interrogatoire et l'exposition des symptômes.

Je sais maintenant que la guérison vient toujours de l'intérieur. Même si l'extérieur doit être pris en compte et soulagé. La libération intérieure signera la guérison en profondeur.

Il faut chercher l'ouverture d'un espace intérieur pour libérer une vibration proche de la lumière. Les physiciens vont être en mesure de nous expliquer ce phénomène dans quelque temps… Et cette onde vibratoire, qui prend la forme d'une sinusoïde souple, rétablit le mouvement de vie en circulant partout dans le corps. La guérison passe par le rétablissement de cette onde vibratoire sinusoïde à travers toute notre physiologie.

Dès lors, ce qui s'ouvre est un véritable espace de paix, et la lumière se dégage de la personne.

Peu m'importe que mon intellect le comprenne totalement, il n'en reste pas moins que ce principe vital est à l'œuvre. Je le vis constamment dans des modes différents: que ce soit au détour de la souffrance, d'une guérison intérieure ou encore lors d'une méditation.

Au travers de la souffrance, il est parfois des chemins de lumière que nous, thérapeutes, constatons et devant lesquels nous ne pouvons qu'être les spectateurs respectueux de ce qui se passe pour le patient. Le patient lui-même s'étonne des forces qu'il puise au sein même de sa souffrance.

Je pense à Natacha, petite femme fragile et manquant terriblement de confiance en elle, qui a perdu en août l'homme de sa vie avec qui elle devait se marier en fin d'année, après avoir accouché de sa fille en octobre. Natacha n'était rien sans Lucien ; et là, en quelques minutes, elle s'est retrouvée veuve et enceinte de sept mois : Lucien a fait une brutale rupture d'anévrisme qui lui a été fatale.

Le chemin de croix de cette jeune femme après l'événement est assez imaginable, mais ce qui l'est moins, c'est la force et l'énergie qu'elle y a trouvées. Elle a continué sa vie, assumant son destin avec une volonté dont personne (à commencer par elle-même) ne la croyait capable.

Au détour de la guérison, nous participons avec notre patient à une *renaissance* de l'individu qui a, certes, vaincu son mal, mais surtout qui a poussé plus loin son chemin de vie. En accompagnant les patients qui le souhaitent, le thérapeute crée des liens qui vont au-delà de la simple consultation, et l'ouverture d'un chemin de lumière, lorsqu'elle survient, rejaillit autant sur le thérapeute que sur le Sujet lui-même. Ce sont de vrais moments de grâce. C'est pourquoi j'abrège toujours les remerciements, car je ne suis que participante au même titre que mon patient, d'une magie qui s'est produite par le biais de l'âme... L'âme agit.

Parfois aussi se nouent des amitiés, des complicités indestructibles avec certains patients... Je pense à Sophie, Philippe, Olivier, Carole B. et bien d'autres.

S'il y a des louanges à faire, celles-ci reviennent à la divinité qui nous habite, que nous prions parfois ou que nous redécouvrons ; dans tous les cas, le sacré révélé est le maître d'œuvre...

Quand le contact initial est laborieux, comme dans le cas de Gérard, le toucher énergétique s'avère de par mon expérience un excellent déclencheur d'ouverture, car sa pratique s'apparente davantage au jeu de rôle conventionnel du patient et du soignant. Le premier s'en remettant à l'autre, et le deuxième « faisant » manifestement quelque chose pour lui. Quand le geste tangible, et par là rassurant, du toucher énergétique est effectué avec un réel esprit d'écoute, une ouverture se fait, qui permettra au patient d'appréhender un espace qu'il ne connaissait pas auparavant. Dans l'exercice d'une séance de massothérapie ou d'ostéopathie, ou plus simplement d'un « toucher aimant », le guérisseur attentif libère les nœuds énergétiques qui se trouvent sous ses doigts. Lorsque son état de présence est optimal, il se passe toujours une ouverture, et la révélation que quelque chose recircule au sein du patient : le sens même de la guérison. Et ça, le patient le ressent toujours ! Ce qui se remet en marche, c'est de la lumière !

D'écoute, la séance devient révélation et libération. Libération du Qi selon la MTC, du flux selon les ostéopathes, de la Lumière intérieure selon mes croyances et celles de certains amis philosophes : la médecine quantique nous confirme maintenant cela...

À propos de médecine quantique, le docteur Youri Kheffeits, médecin-praticien russe et chercheur en médecine quantique à l'Institut d'énergétique de Moscou, en donne comme définition : « La santé consiste dans l'harmonie des relations énergétiques d'information entre l'individu et la Nature. Cette harmonie s'exprime par l'optimisation des mécanismes d'autorégulation, d'autodéfense et d'autoguérison de l'organisme vivant. Soit une dynamique de santé active impliquant la personne tout entière, sur le plan physique, mental et spirituel. »

Cette nouvelle approche de la médecine va peut-être nous révéler de façon plus « scientifique » ce qui se passe réellement lors de ces états de présence, de re-centrage, et surtout, redonner une dimension plus complète à l'acte thérapeutique, qui n'est plus dépendant d'une seule avenue thérapeutique, mais bien d'un faisceau d'avenues, où le patient a lui-même un rôle à jouer.

Les lois de la physique quantique s'appliquent aussi au vivant. L'intégrité du système est vibratoire, telle une note de musique. En en faisant bientôt la preuve scientifique, le protocole si cher encore aux yeux de bon nombre de praticiens va s'effondrer au profit d'une approche à la fois plus personnalisée et plus complète.

Ces « retournements intérieurs » souhaités vers l'espace de guérison ou de lumière ont toujours lieu dans la douceur, le souffle et la vigilance. L'ouverture essentielle du malade une fois assurée, ou amorcée, on pourra soutenir ce dernier par une médication allopathique ou phytothérapique, indifféremment ; mais sans cheminement intérieur, aucune médication ne pourra être véritablement efficace ; elle ne sera qu'un baume et non une vraie source de guérison : elle aura traité le côté biochimique de la maladie, pas le côté énergétique initiant le désordre métabolique. Or, l'homme est autant énergie que matière... La physique nous le rappelle depuis longtemps : nous n'avons plus la possibilité de l'oublier !

Tous ceux qui ont eu la grâce de vivre l'expérience de la remise en marche de l'énergie ne cherchent plus à l'expliquer, mais à la répéter. Il y a un apaisement, un calme, une évidence qui permet au Sujet de continuer sa route : courte ou longue, cela n'a plus d'importance.

Écoute dans le souffle et la vigilance... C'est déjà ce qu'enseignait un certain Jésus au puits de Jacob, à une femme samaritaine qui lui demandait s'il fallait prier sur la montagne, comme l'enseignait sa tradition de Samaritaine, ou au temple comme l'enseignaient les juifs... Jésus avait répondu : ni sur cette montagne ni au temple, mais dans le souffle et la vigilance...

Même si je suis moi-même profondément chrétienne, je ne veux pas faire ici l'apologie d'une religion plutôt qu'une autre ; mais je remarque que cet enseignement a été donné il y a plus de deux mille ans par un personnage historique à l'origine d'une des grandes religions de notre société. J'ajouterais que les traditions de philosophie orientale prônent également le retour à la « claire lumière » par le biais d'une attitude semblablement tournée vers l'intérieur, la méditation.

De Bouddha à Gandhi, en passant par Jésus, cela fait plus de cinq mille ans que l'on est venu nous dire à intervalles réguliers que la guérison ultime venait de cet espace lumineux à l'intérieur de nous. La science donnant enfin la main à la spiritualité, peut-être qu'en ce début de XXIᵉ siècle, la voie de la grandeur de l'homme sera enfin ouverte ?

L'homme est un être spirituel, et ne pas en tenir compte, comme on l'a trop fait durant le siècle précédent, trop occupés que nous étions à tout décortiquer de sa structure conduit à une impasse certaine, voire à des catastrophes. Vouloir maîtriser ou contrôler la vie est un contresens ! La vie, on l'a vu, est un flux continu, une circulation qui ne doit pas être entravée... Vouloir tout décortiquer, tout peser, mesurer, organiser, nous replace en position d'apprentis

sorciers sur un plan philosophique, et sinon, nous posi-
tionne en déséquilibre « rate-pancréas » selon la loi des cinq
éléments précédemment vue. Dans un cas comme dans
l'autre, si nous restons attachés à ce fonctionnement-là, nous
allons droit dans un mur : le mouvement de vie bloqué, la
Source est coupée. Vouloir tout quantifier et faire rentrer
dans des cases est à la fois ridicule et dangereux : ridicule,
car cela témoigne de nos peurs à être dépassés par plus
subtil que nous : « Ils peuvent tout faire rentrer dans leurs
calculs sauf la grâce, et c'est pourquoi leurs calculs sont
vains » (Christian Bobin).

Dangereux, car on élude la moitié du problème : la partie
vibratoire, énergétique.

« Science sans conscience n'est que ruine de l'âme », disait
déjà Rabelais au XVIᵉ siècle...

Le médecin ou le thérapeute doivent prendre conscience
qu'ils ne sont là que pour accompagner leurs patients sur le
chemin de la guérison.

Avec toutes leurs compétences certes, mais aussi avec
humanité et humilité. Le véritable artisan de la guérison est
le malade lui-même. Ce n'est pas là diminuer la responsabilité de médecin, c'est prendre conscience d'une dynamique profonde qui habite tout homme ; et ce faisant, essayer
d'entrer en contact avec cela pour accompagner au mieux et
honnêtement son patient. Simultanément se poursuit notre
propre chemin de croissance...

Entrer en contact avec cela, c'est entrer en contact avec la
Présence.

La sienne, mais aussi celle de l'autre. Si nous voulons être
vrais, et faire du bien à celui qui est en face, il faut d'abord
commencer par nous centrer nous-mêmes...

La *présence* n'a rien à voir avec la construction mentale.

L'écoute neutre et centrée, l'attention totale à l'autre seraient une voie de passage pour appréhender l'énergie de vie circulante.

Le retournement intérieur visé est de la même espèce que celui qui se produit dans la méditation : le sujet lui-même s'en va écouter le silence et la lumière à l'intérieur de lui. Au demeurant, cela peut prendre bien du temps avant que les bruits, les poussières et les nœuds de son mental s'apaisent. Mais la pratique régulière donne ses fruits.

Du côté du médecin, la recherche d'une présence thérapeutique de qualité obéit au même préalable : faire taire son mental et se mettre uniquement à l'écoute de ce que l'on ressent sous ses mains.

Ce qui est beau d'ailleurs dans cette situation, c'est que les informations reçues par les mains sont d'une telle puissance que le mental qui les reçoit ne les met absolument pas en doute. Un vrai bonheur !

Il est intéressant de noter que l'accès à la dimension ultime de la guérison s'ouvre lorsque le mental est en état d'attention neutre, sans aucune élucubration intellectuelle. Un mental au repos nous ferait percevoir mieux le bruit et les bleus de l'âme qui sont en face de nous ou sous nos doigts ; un mental au repos nous ferait « con-naître » (au sens étymologique du terme : naître avec) les voies de passage du flux ou du Qi, ou simplement de la Vie. Comme si notre brillant cerveau, ou du moins ce que nous en connaissons, avait besoin d'être au repos pour laisser la place à un autre espace qui, lui, contiendrait des informations et des capacités de guérison jusque-là insoupçonnées…

Quand je parle de mental, je fais référence essentiellement à l'hémisphère gauche, pour le droitier, qui est le siège du rationnel, l'hémisphère voué à l'analyse logique, à la construction.

C'est lui que l'on a privilégié dans nos formations intellectuelles, dans nos modes de fonctionnement dits «cohérents».

Or, notre conscience, notre état de paix intérieure et nos guérisons trouvent leur source dans un lieu qui ne semble pas être ce cerveau que l'on a voulu tout-puissant. En tout cas pas dans cet hémisphère gauche qui pense, rationalise, explique, décortique. La chercheuse en neurosciences Jill Bolte Taylor nous rappelle dans son ouvrage *Voyage au-delà de mon cerveau* comment le cerveau gauche organise, décortique et quelque part nous limite ; alors que notre cerveau droit nous permet d'être totalement ici et maintenant, d'avoir une vision globale et positive, nous ouvre à plus «grand que moi en moi», selon l'expression de mon ami le philosophe Jean-Yves Leloup.

Selon Jill Bolte Taylor, nos guérisons passent par une *reconnexion* à cet espace de paix, de compassion qui existe dans tout homme, «dans tout cerveau humain», ajoute-t-elle. Je préfère pour ma part en référer au Cœur humain.

La connexion entre les deux hémisphères de notre cerveau existe sur le plan anatomique et elle porte un nom : le corps calleux. Je le dis souvent, sous forme de boutade, si le Bon Dieu a fait un pont entre les deux hémisphères de notre cerveau, pourquoi ne nous en servons-nous pas plus ? Autrement dit, pour peu que nous associions l'espace de paix et de compassion de notre hémisphère droit à nos capacités de relation, de compréhension gérées par notre cerveau gauche, nous devrions appréhender au mieux la réalité de ce qui nous entoure.

Peut-on comparer l'état de présence recherché et l'activité cérébrale totalement au repos, manifestée lors des états de mort imminente, lesquels surviennent le plus souvent lors de chocs opératoires ? De nombreux scientifiques sérieux n'hésitent plus à en parler librement.

L'un d'entre eux, le cardiologue hollandais Pim Van Lommel en a fait son sujet de conférence aux rencontres internationales de Martigues en 2006, élargissant le propos vers la question du siège de la conscience.

Commentant son étude « Expérience de mort imminente après un arrêt cardiaque » publiée dans la revue médicale *The Lancet*, il a rapporté une série d'expériences survenues auprès de patients dont l'électro-encéphalogramme était quasiment plat. Leur témoignage donne à penser que la fonction neurologique connue serait une *interface* qui, lorsqu'elle est déconnectée, laisse place à autre chose qui nous fait entrevoir d'autres plans de vie, voire d'autres réalités. La conscience ne semblerait donc pas siéger dans les fonctions neurologiques, du moins dans celles qui sont connues...

Il ressort de ces expériences de mort imminente corroborées par des annales médicales que les états de clarté et de claire conscience où le patient, en dépit de sa condition, est non seulement conscient de ce qui se passe mais en garde une mémoire aiguë, surviennent lorsque les fonctions vitales sont altérées et que l'oxygène fait défaut. Comme quoi leur siège n'est pas dans les zones connues de notre cerveau.

Pourraient-elles se trouver dans le Cœur, lui dont l'activité électrique démarre à 21 jours de vie intra-utérine, alors même que le cerveau n'est qu'une vague ébauche ? D'ailleurs, qu'est-ce qui allume le cœur ? Un système électrique, certes, mais dans ce cas, comment ce dernier se met-il en route ?

Cette hypothèse de prévalence du « cœur empereur », autrement dit de la lumière, me séduit plus, et j'attends beaucoup de la recherche actuelle qui avance vite dans cette voie : au cœur de chaque cellule se trouverait cette énergie de lumière.

Dans la pratique, les techniques de toucher guérissant ont pour effet de permettre au patient une « syntonisation » de ses cellules.

Cette harmonisation, le mot est plus juste, de nous-mêmes et du patient surtout achemine ce dernier vers une onde de guérison ayant la même source, à mon avis, que les états de conscience de ceux qui ont expérimenté une mort imminente. Au bout du compte, on a pour résultat une embellie énergétique et spirituelle.

La cohérence de l'activité électrique du cerveau comme voie d'autres possibles laisse présager une prodigieuse évolution dans la connaissance qui ne sera pas forcément de même nature que l'ancienne... Elle fera intervenir assurément la théorie ondulatoire, que j'appelle, de façon un peu simpliste, « la théorie de la propagation de l'onde guérissante » !

Dans un même ordre d'idées, les recherches en neurosciences vont nous apporter bientôt des éclaircissements sur notre capacité cérébrale et sur ses dimensions non exploitées. Nous sommes en réalité comme des enfants de maternelle croyant tout savoir de la vie parce qu'ils arrivent à aligner trois syllabes pour faire un mot, mais nous allons peut-être enfin découvrir que la poésie existe, que nos soi-disant connaissances ne sont qu'une petite brique d'un édifice bien plus grand...

Recourir à plus grand que soi en soi, selon l'expression du philosophe Jean-Yves Leloup, cela représente dans l'abord du patient d'aller retrouver le Souffle, le Silence, le Mouvement, le Lien de l'Être à la matière, et ce notamment par le toucher.

Le souffle et le calme intérieur

Dans toutes les traditions, le souffle est l'initiateur de la vie. Ce souffle court de nos existences agitées est générateur de souffrances tant physiques que psychiques.

Retrouver notre amplitude de respiration est la première chose à aller chercher en cas de maladie. Il faut donc détecter l'endroit dans sa vie où « cela » respire mal ?

Nos attitudes de vie sont génératrices ou témoignent de notre santé ou de nos maladies.

Les découvertes récentes viennent confirmer l'importance de la respiration dans le processus de calme intérieur généré par un souffle sans entraves. On dénote une différence positive notable de la santé chez l'individu qui porte attention à sa respiration.

En effet, par une respiration lente et centrée, on active l'arc réflexe qui part de l'ensemble « cœur-poumons » vers le cerveau limbique, et donc vers l'hypothalamus. Autrement dit, en clair : en respirant calmement, en faisant taire le bruit intérieur de nos pensées, on apaise le centre de nos émotions et on calme le chef d'orchestre de toutes les glandes : l'hypothalamus, ce qui entraînera automatiquement une meilleure régulation endocrinienne. Et qui dit meilleure régulation endocrinienne dit meilleur fonctionnement de notre thyroïde, de notre pancréas, de nos glandes surrénales, etc. Donc capacité accrue pour nous à nous adapter à notre milieu et à échapper aux incontournables embûches.

Cet exercice dit de cohérence cardiaque est enseigné maintenant dans « toutes les séances de gestion du stress », mais on devrait l'appliquer systématiquement dans nos vies !

Il a fallu attendre le monde scientifique pour mettre un mot savant sur quelque chose que pourtant tout homme connaît lorsqu'il est en paix, par exemple dans un lieu de culte, ou face à un enfant endormi ; lorsqu'il s'évade en pleine nature ou qu'il écoute du Bach ou toute autre musique apaisante ; bref, lorsque le mental s'arrête et qu'il se contente d'être là, présent et heureux de l'être.

Le mental s'arrête où l'énergie du cœur continue de faire du chemin, et des miracles...

Nos scientifiques nous expliquent ainsi que l'état de paix intérieure est un état de guérison, ou du moins de santé...

La santé, comme la beauté, vient bien de l'intérieur...

La science est en train de démontrer la puissance du calme intérieur, exercé dans la prière ou la méditation, comme l'on veut. Des équipes de neuro-chercheurs un peu partout dans le monde entier ont mené des expériences consistant en des enregistrements neuro-encéphalographiques chez des carmélites en prière ou des sujets en méditation. À la suite de leurs conclusions, il apparaît que les tiraillements de notre vie intérieure peuvent être grandement harmonisés par des pratiques semblables et que nous pouvons dès lors y trouver un moyen d'accéder à un mieux-être.

Être en santé, c'est aller retrouver l'espace intérieur infini dont on est imparti et en nourrir ses cellules. Souvent, ce chemin pris par le soignant cherchera à percevoir le subtil que sous-tendent le symptôme et la maladie et à débusquer le lieu où la lumière ne circule plus : car, dans l'état idéal de cohérence cardiaque ou de cohérence globale, ce que ressent le sujet est bien quelque chose de l'ordre d'une douce lumière qui recircule... Et cette lumière est bien une onde...

Le souffle est le principe premier de la vie. En prendre conscience, y porter attention, reste un des outils à la fois extrêmement efficaces et toujours disponibles, mis

à notre disposition pour aller toucher cet espace guéris-
sant à l'intérieur de nous.

Le silence

C'est un état tellement simple à contacter... Que nos ancêtres connaissaient mieux que nous car, si leurs vies n'étaient
pas plus simples, bien au contraire, en revanche elles étaient
moins bruyantes. La modernité a littéralement gommé le
silence. Tout est désormais sonore : de la musique d'am-
biance aux clameurs de la ville, nous sommes interpellés en
permanence.

Il semblerait que, pour bien des gens, le silence soit insup-
portable : sitôt à la maison ou dans l'auto, ils allument leur
poste de télé ou de radio. Quelle souffrance ou quelle peur
sont ainsi camouflées par le bruit ?

Ce faisant, ils se détournent perpétuellement de leur possibilité de se reconnecter à eux-mêmes.

En faisant taire un peu tout ça, ils découvriraient que le
Silence n'est pas vide, mais qu'au contraire il est habité, dis-
tinctement, de la vie extérieure et, indistinctement, de la vie
intérieure qui alors peut parvenir jusqu'à nous.

Le remède vaut pour le thérapeute : avant de vouloir aider
quelqu'un, il est indispensable de faire cesser notre brouhaha
intérieur et de nous mettre à l'écoute de notre patient !

C'est en cultivant sa faculté d'écoute intérieure que le
thérapeute a conscience qu'il se passe quelque chose au
travers de lui. Le phénomène est encore d'ordre empirique,
mais la science est sur le point de nous expliquer quelle zone
de notre cerveau se met en action pour nous permettre de
trouver la voie vers le souffle de vie qui n'arrête pas de pulser

au tréfonds de l'individu, même très affaibli, et qu'on perçoit dans un état de silence intérieur.

Dans de telles conditions, l'homéopathie uniciste est une technique valable pour rebrancher le patient sur la note vibratoire qu'il a perdue, mais peut-être plus profitables encore sont les techniques de toucher corporel pratiquées en conscience, que ce soit la massothérapie, l'ostéopathie ou le toucher énergétique. Toucher son patient dans le silence et dans l'écoute va faire « monter » automatiquement des informations qui autrement ne seraient pas venues à la conscience. C'est la très belle histoire de Carole qu'il m'a été donné de partager avec elle et mon amie Stéphanie, massothérapeute.

Ce n'est pas un hasard si notre société voit fleurir des centres de « méditation » et émerger des stages du même nom, un peu partout, et de toutes natures ou qualités. Après s'en être remis exclusivement à son intelligence et avoir rejeté le sacré, de même que la culture qu'il sous-tend, se sentant perdu et décentré, l'homme moderne se précipite tête baissée dans des stages de ressourcement plus ou moins bien choisis…

Il est un peu affligeant de constater que la société moderne, hypersophistiquée, a perdu en contrepartie le bon sens et la richesse du cœur qui étaient au centre de l'homme depuis la nuit des temps. Inutile de chercher midi à quatorze heures, il suffirait simplement de s'asseoir en silence devant un ciel étoilé ou ailleurs, mais dans la nature de préférence, pour obtenir un effet valant tous les onéreux stages de ressourcement. Anne Morrow Lindberg le décrit bien dans son livre *Solitude face à la mer*, sorti en 1955, ajoutant judicieusement : « Si l'on n'est plus capable de se retrouver soi-même, on ne peut espérer rejoindre les autres. »

Ces temps de silence nous sont indispensables pour nous retrouver et ne pas perdre le fil de nos vies… Un moment de grâce face à la mer ou sous la protection de nos grands maîtres, les arbres, nous enseignera bien mieux sur nous-mêmes et sur notre devenir que telle ou telle conférence, fût-elle donnée par quelqu'un d'éminent.

Soit dit en passant, faire silence est une expression fausse : le silence est déjà là. Il suffit juste de faire taire le flot de pensées qui courent sans arrêt dans un mental affolé, qui s'affole justement encore plus du fait de sa course...

Pour rompre la malsaine farandole qui insidieusement nous mène à notre perte, il faut impérativement nous entraîner à laisser place au silence pour entendre enfin la petite voix qui parle en dedans de nous depuis si longtemps, mais à bas bruit.... Ne pas avoir peur de rencontrer ce qui nous habite vraiment.

Si malheureusement la religion a souvent échoué dans cet enseignement, c'est souvent parce qu'elle s'est bornée à des messages menaçants et des images de peurs, et a fonctionné à outrance sur des prises de pouvoir. Le contresens est survenu dès le début : dans l'idéal, selon son sens originel, religion veut dire ce qui relie, du verbe latin *religere* ; or, l'autorité religieuse n'a fait que diviser, pour mieux régner un certain temps... avant de s'effondrer dans certaines sociétés ou de se fossiliser dans un intégrisme désastreux dans d'autres sociétés.

Et cependant, comme l'a dit Malraux, le XXIe siècle sera spirituel ou ne sera pas : on verra l'esprit qui anime la matière prendre sa place ; pas le mental, mais bien l'esprit, l'onde qui anime tout Être vivant. Le spirituel est viscéralement à l'intérieur de l'homme. Il faut arrêter de le chercher à l'extérieur, dans des lieux particuliers ou chez des « gourous » de tout poil, qui nous promettent l'accès à des voies royales moyennant l'adhésion à leur groupe.

Retrouvant un état de paix intérieure, tous nos systèmes biologiques se mettent en état de cohérence, au sens physique du terme, permettant à notre physiologie de se réparer et de fonctionner au mieux. La guérison vient bien de l'intérieur…

La marche

La maladie, c'est l'arrêt du Qi, du Flux, du mouvement donc. Mais portons attention au fait qu'il s'agit d'un mouvement lent, à l'échelle humaine.

La vie n'est pas une course. Elle est douceur et lenteur. Les explosions sont le propre des engins de mort. La création est douce, lente et silencieuse. Elle peut remettre du mouvement là où cela s'était arrêté. C'est la base des médecines orientales, de l'ostéopathie et de la vie même.

Dans la re-mise en mouvement, la marche est riche de trésors. Justement, pourquoi tant de gens éprouvent-ils le besoin de s'accorder une parenthèse dans leur vie, en partant à pied une année complète explorer d'autres contrées ? Leur projet relève d'un réflexe de survie les amenant à se reconnecter avec eux-mêmes. Les pèlerinages à Compostelle, ou ailleurs, n'ont jamais tant eu d'adeptes que depuis quelques années. On marche pour faire une pause dans sa vie et on espère de façon assez confuse trouver en concomitance quelque chose. On part bien souvent très loin pour s'apercevoir, une fois arrivé à destination, que ce qu'on cherchait était à l'intérieur. Curieusement, on était parti pour se retrouver !

« Si tu vas au bout du monde, tu trouveras l'ombre de Dieu ; si tu descends en toi-même, tu trouveras Dieu. »

La marche consciente se pratique en étant présent aux éléments et aux forces naturelles de la création. Elle est résolument une méditation active.

Certains ressentent le besoin de délaisser leur emploi pendant deux mois ou de tourner le dos à leurs vieilles habitudes pour s'en aller seul sur les chemins à la rencontre d'eux-mêmes. Or, de tout temps, le pèlerin a cheminé à la recherche de Dieu et il l'a invariablement trouvé à l'intérieur de lui-même...

À l'heure des moyens de transport les plus sophistiqués, et les plus efficaces, l'homme a la grâce de retrouver la marche et, chemin faisant, la grâce de se retrouver.

L'homme n'est pas à un paradoxe près...

Nos prédécesseurs des deux derniers siècles ont développé et privilégié la voie rationnelle, logique, cartésienne; leur apport a été très utile. Tout en préservant ces précieux acquis, nous devons à présent nous employer à développer notre autre hémisphère, celui de l'écoute intérieure. Le temps de faire alliance avec nos connaissances rationnelles et nos nouvelles connaissances subtiles est arrivé. Comme s'accordent à le dire les scientifiques, le cerveau de l'homme n'est utilisé pour le moment qu'au dixième de ses capacités, il y a de quoi être résolument optimiste: l'ère de l'Humain approche après celle de l'Humanoïde...

De la même manière qu'il faut chercher à faire un pont entre nos deux hémisphères, il est nécessaire d'assurer une continuité dans le savoir. La science commence à expliquer qu'en cultivant le nécessaire état de paix en lui, l'être humain voit son système immunitaire grandement amélioré, sa capacité à résister au stress étant bien meilleure.

Or, la médecine chinoise nous dit la même chose depuis fort longtemps: «Le rôle du médecin n'est pas de guérir à tout prix, mais de rétablir le Qi (le courant de vie) afin que la Vie ou la Mort soit atteinte selon la pente naturelle du sujet, et selon sa destinée propre» (Lao Tseu).

Autrement dit, l'état de santé réside dans la libre circulation du Qi et le thérapeute n'a qu'une chose à faire: rétablir le courant, ce que les ostéopathes appellent le flux, et que la médecine chinoise appelle le Qi.

Ce mouvement donc fait battre le cœur des hommes et tourner les étoiles, selon le poète. Les poètes ne sont jamais vraiment loin de la réalité… ils sont juste un peu plus avancés sur le chemin de la compréhension, parce que visionnaires d'une dimension plus vaste, plus globale.

Ce que nous appelons poésie, l'avenir nous le propose en effet souvent plus tard comme réalité ou découverte…

Il paraît qu'une des expressions qui reviennent le plus souvent dans les évangiles, ce que le Christ répète le plus souvent à ces hommes qu'il est venu révéler à eux-mêmes, est l'impératif très court, mais très expressif: « Va ! »

Cheminons, avançons, ne restons pas arrêtés sur nos peurs ou nos certitudes….

Relier l'être à sa matière : l'importance du toucher

J'ai l'habitude de dire que la maladie est le dernier moyen trouvé par l'Être pour se manifester à nos cerveaux embrumés, et ainsi nous parler de nous-mêmes. Passé un certain cap, étant donné sa vulnérabilité, le sujet atteint a besoin d'un intermédiaire disponible et à son écoute pour mettre en place ce qui doit être… Le thérapeute qui pose les mains sur son patient et écoute ce qui circule ou pas à l'intérieur joue ce rôle.

Cela semble peu probable pour certains, mais c'est exactement comme cela qu'on travaille au bout d'un certain nombre d'années d'exercice en énergétique, mais aussi en ostéopathie ou en massothérapie. Si elle est présente, « écoutante » et humble, la main aimante est capable de corriger des désordres énergétiques, eux-mêmes responsables de désordres métaboliques.

Nos os parlent; notre chair crie; nos muscles se tendent et se tordent: au lieu d'essayer d'apaiser la matière vivante qui nous constitue, nous avons trop tendance à la gaver de potions chimiques d'autant plus difficiles à gérer que le corps n'en peut déjà plus...

L'écoute silencieuse, des mains et du cœur (c'est la même chose), permet de trouver en douceur dans le corps de son patient l'espace de santé à partir duquel il sera possible de ramener le flot de vie qui est bloqué. Cela n'exclut pas des prescriptions, mais la santé ne sera vraiment rétablie que lorsque la circulation du flux de vie sera perceptible par les mains expertes du thérapeute.

Et ces mains sont aussi celles de celui ou de celle qui aime: il y a des massages de mains ou de pieds qui sont de vraies libérations partagées dans la tendresse.

Le but du thérapeute, comme le disait Still, le père de l'ostéopathie, n'est pas de s'acharner sur la maladie — tout le monde a déjà trouvé la maladie chez un patient —; mais d'aller repérer l'état de santé dans un corps et de le faire grandir.

Voilà le vrai rôle du thérapeute, de l'âme tout autant que du corps.

Voilà aussi une vision radicalement opposée à l'approche académique enseignée à nos médecins... Aller chercher la Santé plutôt que de s'acharner sur la maladie! Ce n'est pas une boutade, mais le simple constat que, s'il est remis en circulation, le sain l'emportera sur le souffrant, et la vie pourra recirculer. Comme les mains d'une mère ne se trompent pas, les mains du thérapeute, palpant les pouls ou autre chose, perçoivent avec justesse bien plus que les pouls, ou bien plus que les tensions...

Des mesures physiques auprès d'ostéopathes travaillant sur leurs patients ont pu démontrer que la main était capable de faire varier un plus grand nombre de paramètres physico-chimiques au niveau du cerveau que n'importe quelle autre intervention réalisée au moyen de tel ou tel instrument. Je trouve cela rassurant et encourageant en ce qui a trait à nos capacités d'évolution : nous en sommes encore au stade de la maternelle dans notre « apprentis-sage » !

Assurément, l'homme peut être plus efficace pour son semblable que pas mal de machines.

La main « écoutante », attentive, aimante est en effet capable de dénouer des microtraumatismes, de libérer ce qui était bloqué et qui engendrait par ricochet tout un tas de perturbations émotionnelles, mais aussi biologiques.

Faire croître le sain, le vivant face à la maladie, aux germes, aux blocages, aux paquets de mémoires et de chagrins, c'est le vrai rôle de la médecine de demain. Certes, nous devrons encore parfois recourir à des traitements chimiques, mais en faisant parallèlement croître l'énergie du vivant à l'intérieur d'un corps, nous ferons reculer la maladie, le malaise, le symptôme.

Le potentiel de guérison de chaque individu se trouve au cœur de sa matière, matière qu'il faut aller soulager dans certains cas avec de la médication, mais toujours avec une main guérissante.

La chimie seule n'a jamais fait de miracles mais la main seule en a fait de nombreux. Il serait temps d'allier les deux, comme pour Carole, comme pour Gérard…

Ce qui serait sympathique, ce serait de remettre nos patients sur leur GPS intégré et de délaisser les protocoles rigides, car ces derniers, n'ayant rien d'un traitement personnalisé, passeront à côté d'une guérison profonde de l'individu !

La guérison véritable est individuelle.

Que notre écoute soit une vraie écoute, que notre présence soit une vraie présence, que notre toucher soit un vrai toucher! Et laissons la lumière circuler à nouveau et dénouer ce qu'elle a à dénouer: «Et la lumière luit dans les ténèbres, et les ténèbres ne l'ont pas saisie» (Prologue de l'évangile de saint Jean).

VI

La médecine soigne, l'amour guérit

> La co-naissance n'est pas le savoir. La co-naissance
> est lumière qui est, qui agit, qui donne.
>
> Dialogue avec l'ange

Comment se remet-on en route ?

Plusieurs techniques mettent au premier plan le principe énergétique dans leur approche du patient, que ce soit la MTC, ou l'homéopathie. Pour sa part, l'homéopathie uniciste cherche à trouver la note sur laquelle résonne le patient et s'attache à la lui rendre, la plus juste possible. Et en ayant trouvé « l'esprit » du remède sur lequel résonne le patient, on va informer sa matière sur un autre plan et lui permettre de se libérer de ses souffrances. Dans ces cas-là, le retournement intérieur s'accompagne d'une transmission de l'information juste, qui s'en va dénouer un nœud inscrit dans la matière. Cela se fait également par les techniques d'ostéopathie, basées sur une connaissance extrêmement précise et pointue de l'anatomie et de la physiologie, par des touchers énergétiques pratiqués par un vrai thérapeute, médecin de préférence, qui a aussi une connaissance tout aussi précise et pointue de la physiologie de son patient, par d'autres accompagnements encore, qui font tous appel au cœur de l'individu et qui en tout cas sont basés sur ce retournement intérieur qui met en « reliance » l'être à sa matière.

Je me méfie, qu'on me pardonne, du thérapeute qui s'en va à l'aveuglette sans connaissance suffisante de la pathologie, de l'histoire médicale de son patient.

Guérir, accompagner vers un chemin de guérison plus exactement, est un acte tout autant scientifique que spirituel. La bonne volonté ne suffira pas : il faut avoir appris, senti, traversé soi-même l'obscurité, touché cet espace-là d'intériorité, pour pouvoir commencer à accompagner véritablement l'autre.

Lorsque l'Amour, avec un grand A, est le moteur du geste, on sera sûr que le geste sera positif. Mais c'est d'un amour to-ta-le-ment gratuit et inconditionnel dont il s'agit ; pas d'un amour qui « veut » ceci ou cela pour le patient, y compris même la guérison.

Quelle altitude est atteinte dans l'amour, quand on accepte que l'autre, celui auquel on tient le plus, puisse avoir le choix aussi de partir... dégagé de ses souffrances. Poser la main sur l'autre, c'est lui dire : « Sois sans crainte, tu peux repartir dans ta voie, la seule bonne pour toi ; va, on t'aime, quelque route que tu prennes. »

On voit bien que ce langage généreux exclut tout gourou, charlatan ou prince du remède miracle à tout va.

Comme je l'ai déjà écrit, le mot amour fait peur, quand il ne fait pas rire... C'est pourtant un acte d'amour que d'accompagner un patient aussi bien vers sa guérison que vers son ultime traversée.

C'est aussi un acte de communion. On accompagne son patient, on partage quelque chose avec lui : on met dans la balance ses capacités à le libérer de ses paquets de mémoires et de chagrins, et en retour, lui nous ouvre les portes de son monde intérieur et nous fait participer à sa croissance. Ce n'est jamais simple ni facile, mais toujours riche de sens. Lorsque s'installe une telle complicité, lorsque se produit un tel rapprochement, quelque chose de précieux a été échangé, sans calcul, sans promesse, sans aliénation d'aucune sorte. La communion débouche sur une métamorphose, petite ou grande.

C'est toujours un cadeau.

En ce qui concerne le chapitre de la vocation des étudiants qui partent théoriquement dans des études pour aider, pour soigner leurs semblables, il serait temps de leur dire ceci : les connaissances scientifiques sont indispensables, mais si on n'est pas prêt à ouvrir aussi son cœur, ses mains et ses oreilles, mieux vaut choisir une autre voie.

Il faudrait au surplus leur enseigner cet art de l'attention, de la présence, sans rien enlever à leurs connaissances scientifiques mais surtout sans privilégier une note en mathématiques ou en statistiques aux dépens d'un comportement humaniste et d'une vocation profonde, comme le font encore trop de facultés en médecine.

Ces facultés continuent en effet à recruter les médecins de demain sur des notes extrêmement élevées en mathématiques ou en physique ! On ne fera jamais un vrai, un bon médecin d'un champion de la résolution d'intégrales et d'un jongleur de statistiques...

Il est exaltant au contraire de savoir que la science a des allées et des contrées inexploitées à défricher, et que ces contrées sont du domaine de l'intuition, de la douceur, du silence et de l'ouverture à autre chose : la science a à se rapprocher de l'ouverture du Cœur...

Vouloir formater, faire rentrer dans des cases ou des statistiques le processus de vie est un navrant contresens dans lequel certains s'enferment encore au détriment de leurs patients... Mais ils vont être de moins en moins nombreux à porter ces lunettes restrictives, à rester les yeux fixés sur leur savoir, si gigantesque soit-il...

Le scientifique, le vrai, a l'esprit ouvert sur ce qu'il ne connaît pas encore.

Après une approche rationnelle, indispensable, nous avons à faire émerger une approche plus subtile, plus intérieure pour tenter d'avoir une réalité complète. Dans cet ordre fusionnel, on s'emploiera à réunir le masculin et le féminin à l'intérieur de nos comportements et de nos attitudes...

Peut-être allons-nous arriver à faire taire la guerre des sexes, en réunissant à l'intérieur de nous-mêmes nos deux polarités ! C'est bien cela l'accès à plus grand que nous en nous : si je réussis ces noces intérieures, je peux les générer un peu, beaucoup, c'est selon, chez mon patient. D'où cette communion dont je parlais précédemment ; d'où ce cadeau reçu et partagé à la fois.

Cela va plus loin que l'empathie ; c'est autre chose qui se met en place et qui est à cultiver, à faire grandir en nous ; nos patients nous y aident.

Trop peu de thérapeutes en usent et en usent bien.

L'art du thérapeute n'est jamais dans la volonté de guérir : la guérison ne nous appartient pas.

Nous sommes des « éveilleurs » du mouvement de vie et nous donnons à notre patient des outils pour reprendre son chemin, libre et libéré surtout !

La médecine, qu'elle soit chimique sous forme de molécules pondérables, ou plus subtiles sous forme de plantes, voire de granules homéopathiques, où le principe énergétique informe et corrige la matière, *ou* qu'elle soit manuelle, comme dans les différentes approches du corps dont on a parlé, se doit avant tout d'être au service du patient qui souffre.

Elle est un outil, mais pas le seul, de la guérison, laquelle appartient toujours au patient.

La guérison nous vient de cet espace d'amour libéré, de cet espace de lumière dégagé, qui à lui seul peut résoudre l'origine des souffrances.

La guérison du corps, c'est ce que l'on espère et qui arrive souvent, mais pas toujours. Didier me l'a appris : on pouvait laisser son corps qui n'en pouvait plus et partir, illuminé par cette lumière fulgurante retrouvée en soi ! Lumière qui débordait de ses yeux et qui apaisait la tristesse de son entourage de le voir s'en aller dans un autre plan...

La guérison de l'âme est — on l'oublie trop souvent — ce qui se met réellement en place, lors de ces démarches d'accompagnement, ne rendant jamais vain tout acte thérapeutique fait en conscience. Rendre cet espace de lumière et de liberté à son patient, c'est le reconnecter à la force d'Amour, seule source de guérison véritable.

Lorsque nos cellules vibrent de cette intensité-là, physiquement, la guérison peut intervenir. Et si elle ne peut plus intervenir au niveau physique, on sait par la lumière extraordinaire qui se dégage du patient qu'elle est intervenue au niveau de l'âme (cf. Didier).

Cette idée que nos cellules sont capables d'émettre de la lumière et de vibrer à une certaine fréquence nous vient aussi de la médecine quantique. Parallèlement, on avance — ce qui renverse pas mal de certitudes, mais ouvre aussi bien plus de potentiels — que la vibration qu'elle soit de la musique ou de la parole a aussi un impact sur nos cellules et sur notre corps dont le composant principal est l'eau : l'eau transporte toute information vibratoire au cœur de nos cellules !

Les travaux remarquables de Masaru Emoto sur les différents états de cristallisation de l'eau en fonction des paroles prononcées ou des musiques diffusées prouvent comment notre état vibratoire intérieur peut être aussi bien fragilisé que régénéré, selon ce qui nous entoure et ce qui se met en circulation à l'intérieur de nous.

De même l'état d'esprit dans lequel le patient se trouve aura un impact, par le simple fait que la pensée est aussi un phénomène vibratoire.

D'où l'importance, pour le patient, d'adhérer complètement à son traitement.

D'où l'importance, pour le thérapeute, d'être au plus juste, et dans une cohérence déjà intellectuelle (!).

Un mot peut guérir, mais peut aussi tuer, on ne le sait que trop...

Nos paroles, nos gestes sont porteurs d'énergie guérissante ou destructrice, c'est selon.

« À l'image de la parole divine, la parole humaine a le pouvoir, quand elle est positive, de secourir, d'aider, d'accumuler les énergies et de manifester leurs effets » (*Livre des morts égyptiens*).

Pour revenir à la lumière, dans les années 1980, Fritz Albert Popp a fait une constatation importante. Les cellules émettent de la lumière! Certes, le rayonnement est très faible, mais il est mesurable grâce à un photo-multiplicateur, un appareillage spécialement conçu pour accéder à des intensités lumineuses très basses.

Les organismes sont donc capables d'émettre des corpuscules de lumière mais peuvent également les emmagasiner. La conclusion de différentes expériences effectuées en laboratoire montre que l'ADN fait ce travail d'accumulation. Il y a de la lumière au cœur de nos cellules, donc de ce qui nous constitue.

Par conséquent, ce qui nous donne forme est autant énergie que matière...

Au cœur du vivant il y a de la lumière. En plus ou en moins, selon nos paquets de mémoires et de chagrins... Le travail de guérison serait essentiellement un travail de remise en circulation de cette lumière.

D'autres expériences tendraient également à démontrer que la pensée est porteuse d'énergie, au sens physique du terme !

Si nos paroles, nos pensées et nos gestes thérapeutiques sont chargés de lumière, c'est-à-dire faits en conscience, et reliés à une source intérieure la plus claire possible, il est permis de penser que c'est peut-être ainsi que s'opère une partie de la guérison. C'est ce qui a été ressenti dans ces guérisons « miraculeuses », ou plus modestement dans des approches thérapeutiques énergétiques telles que celles que j'ai expérimentées. Le retournement intérieur, la paix qui survient lors de ta prise de conscience, la voie qui s'ouvre, soudain, claire et apaisante, la légèreté : toutes ces sensations ressenties par le patient autant que par le thérapeute qui accompagne trouveraient ici un début d'explication.

Une autre biochimiste, la Russe Tania Rechetnikova, a également tenté de vérifier comment l'énergie psychique pouvait modifier l'énergie chimique en faisant des travaux sur des plantes et en regardant comment la pensée pouvait les protéger de radiations nucléaires !

On sait aussi qu'une expérience pratiquée avec des maîtres en Qi Gong a montré la puissance de l'onde émise par un certain état de concentration. On a donné à trois groupes d'entre eux des tubes à essais contenant des cellules de tissu cancéreux. Au premier, on a demandé d'essayer

d'influencer la multiplication cellulaire dans un but de guérison ; au second, de laisser le tissu dans l'état et, au troisième, d'accélérer le processus de cancérisation. La réussite
de l'expérience a été totale. Quelle longueur d'onde a été
produite ? La science le saura sûrement un jour.

Un peu partout dans le monde, des chercheurs travaillent
dans leurs laboratoires à dépasser la matière et à prouver le
potentiel de l'onde énergétique qui informe, voire corrige la
matière.

*Il ne s'agit sûrement pas de volonté, mais bien au
contraire de fluidité retrouvée.*

La pratique très expérimentée de la relaxation, de la méditation, est capable de protéger la cellule ou de modifier sa
croissance.

La capacité à nous centrer, à revenir dans notre énergie du
cœur, nous donne accès à un outil de guérison puissant : en
allant au cœur de notre présence, nous guérissons la bles-
sure de l'âme, si ce n'est celle du corps.

Ces capacités qui paraissent extraordinaires encore
aujourd'hui sont en train d'être prouvées. Pour le bien-être
de ses patients, la médecine classique, celle de la matière, n'a
plus d'autre choix que de s'ouvrir à la médecine énergétique.

Avec les travaux de Masaru Emoto et ceux d'autres chercheurs aussi, on s'aperçoit que notre matière est réellement
sensible à une vibration au cœur de ses molécules.

Cette vibration pourra être le granule, le médicament, la
parole juste, le toucher, la lumière, voire la pensée.

Comment ne pas être enthousiaste à cette avenue qui
s'élargit enfin ? La médecine a encore une approche globale

à développer, et cette approche est une approche humaniste, spirituelle, vibratoire.

Ce qui est apparu dans ma petite expérience, dès le début de mes études comme un filet d'eau minuscule, mais incontournable, a grossi régulièrement, avec parfois de violentes précipitations. dans tous les sens du terme, pour devenir l'océan de confiance et d'espoir dans lequel je replonge régulièrement lors de mes consultations ou de mes expériences de vie.

Deux et deux ne font pas toujours quatre en médecine. Vouloir tout réduire, tout formater, tout rationaliser ne marche plus : on sait trop maintenant qu'il faut aussi aller chercher quelque chose de plus subtil, de plus intime.

C'est par ce retour au subtil, à l'intime au plus grand que lui en lui que l'homme s'en va vers son devenir d'humain pleinement réalisé.

Or, faute peut-être d'autres ouvertures pour nous faire avancer, la maladie s'insinue de plus en plus dans nos vies. Comme si la maladie était le seul et dernier moyen qu'avait l'Être pour se faire entendre. On peut espérer que la somme des expériences partagées va amener notre société à aller plus loin dans sa conception de la maladie certes, mais aussi de la vie en général.

La solution véritable se trouve à l'intérieur de l'humain, au cœur de ses cellules, dans un espace de paix et de lumière que les physiciens nous décrivent et nous expliquent.

Le poète et le croyant l'ont déjà trouvé depuis longtemps.

En y replongeant, nous avons la possibilité de gommer toutes les douleurs et noirceurs qui font le lit de nos mal-être, puis de nos « mal à dit ».

Nous avons aussi la capacité de faire grandir notre lumière, et même si notre matière vieillit, peine parfois, meurt un jour sûrement, la Lumière sise au cœur de nos cellules, revivifiée par ce travail intérieur et personnel, ira d'abord éclairer nos corps vieillissants, les régénérant parfois, et en tout cas pourra continuer sur d'autres plans, plus forte.

L'incarnation n'aura pas été vaine.

Les expériences de transfiguration et de «grande nuée» dans les évangiles sont peut-être ce phénomène porté au maximum par un être incarné qui savait utiliser ce potentiel de guérison intérieur. Lorsque le Christ dit à ses disciples que ce qu'il fait, nous pouvons ou pourrons le faire, c'est sûrement cette grandeur de l'homme qu'il est venu annoncer et manifester. Cette idée, mon ami Jean-Yves Leloup l'exprime comme suit : « Il y a beaucoup de chrétiens. Ce qui m'ennuie, c'est qu'il n'y a pas beaucoup de Christs. »

Qu'on l'envisage sur un plan spirituel ou médical, la guérison est cette libération qui fait circuler la lumière au travers de nos matières et qui dilue nos paquets de noirceurs et de souffrances.

Pour moi, les chemins scientifique et spirituel se rejoignent et n'en forment qu'un. Le médecin est aussi forcément un être spirituel, puisqu'il remet du souffle, de la vie là où cela ne circule plus. Que l'on regarde les enseignements de Bouddha ou de Jésus-Christ, ils nous renvoient tous les deux à notre intériorité et à notre essence.

L'homme n'atteindra sa vraie grandeur qu'en renouant avec son ombre et en allant y mettre de la lumière. C'est ainsi que viendra notre plénitude ; c'est ainsi que nous serons en paix. Être en santé, c'est aussi être en paix au niveau cellulaire et organique tout autant qu'au niveau psychologique ou spirituel.

En ce début de xxie siècle, la science rejoint enfin la spiritualité pour le bien-être de tous et de chacun. Même s'il y a encore pas mal de chemin à faire, la route est ouverte, la physique vient au secours des médecines énergétiques et va ouvrir définitivement la voie à une approche enfin plus humaniste, plus globale de la médecine, rendant aussi pleinement son potentiel au patient.

Le thérapeute ne sera jamais un homme de pouvoir, et cette démarche permettra enfin de laisser les attitudes de domination au vestiaire : l'homme malade a à retrouver son centre, sa voie, avec l'aide de multiples ressources, on l'a vu, mais il n'aura plus à s'en remettre aux mains de tel ou tel « grand » médecin, manitou ou autre thérapeute. La médecine n'est pas une affaire de pouvoir, mais de cœur. C'est là toute la difficulté du domaine actuel de la santé.

« Va, ta foi t'a sauvé » est une phrase que l'on peut entendre aussi sur un plan plus général, qui sort même du cadre chrétien où elle a été prononcée :

Va = remise en mouvement.
Ta = la tienne, pas la mienne !
Foi = ton mode de fonctionnement : tes repères, ton essence, ce qui te constitue.

Il est possible d'espérer qu'ayant retrouvé notre lumière intérieure, nous ferons grandir ainsi nos potentiels de départ au prix de pas mal de bouleversements, certes, mais en retrouvant en contrepartie une liberté et une paix.

La médecine soigne et soigne très bien quand elle est humaniste et pratiquée en conscience. L'Amour, vibration du cœur, guérit et ouvre des horizons toujours plus grands, toujours plus régénérateurs. Nous ne sommes qu'au début d'un chemin qui s'annonce… lumineux.

Certains, beaucoup même l'ont déjà expérimenté, voire traversé. Christiane Singer, dans son dernier ouvrage, qui est aussi sa dernière expérience, nous en parle remarquablement bien :

> Ma dernière aventure. Deux mois d'une vertigineuse et déchirante descente et traversée. Avec surtout le mystère de la souffrance. J'ai encore beaucoup de peine à en parler de sang-froid. Je veux seulement l'évoquer. Parce que c'est cette souffrance qui m'a abrasée, qui m'a rabotée jusqu'à la transparence. Calcinée jusqu'à la dernière cellule. Et c'est peut-être grâce à cela que j'ai été jetée pour finir dans l'inconcevable. Il y a une nuit surtout où j'ai dérivé dans un espace inconnu. Ce qui est bouleversant, c'est que quand tout est détruit, quand il n'y a plus rien, mais vraiment plus rien, il n'y a pas la mort et le vide comme on le croirait, pas du tout. Je vous le jure. Quand il n'y a plus rien, il n'y a que l'Amour. Il n'y a plus que l'Amour. Tous les barrages craquent. C'est la noyade, l'immersion. L'Amour n'est pas un sentiment. C'est la substance même de la création. (*Derniers fragments d'un long voyage*, Albin Michel, 2007)

Puissions-nous le découvrir, le vivre et le partager de notre vivant.

Montréal, juin 2009.

Musique : *Turning to peace.*

Postface

La maturité n'est-ce pas de découvrir que les « vérités » que nous considérons comme « contraires » se révèlent en réalité comme « complémentaires » ?

Le témoignage du docteur Christine Angelard est à ce propos particulièrement précieux ; elle sait montrer dans un même mouvement les bienfaits des « médecines classiques » et ceux des « médecines alternatives » tout en étant lucide et critique à l'égard des unes et des autres ; car, à côté de « grands patrons » et de maîtres authentiques, il y a beaucoup de charlatans ou de pseudo « supposés savoirs » qui veulent imposer leurs diagnostics, leurs technologies, leurs médications, chimiques ou spirituelles, comme des lois, aux dépens du malade qui n'est plus écouté comme un être autonome et responsable, avec qui il faudrait davantage collaborer pour obtenir ou retrouver une meilleure santé et une plus haute harmonie...

Christine Angelard nous rappelle que « ce qui est capital, c'est le travail personnel du patient ; lui-même est l'artisan de sa libération ; la voie empruntée peut être différente, mais le rôle essentiel du thérapeute est d'amener son patient à cette libération. Libération qui passe toujours par une prise de conscience dans un premier temps ; ensuite, un baume de lumière et de paix viendra automatiquement, si les techniques employées pour arriver à cette prise de conscience ont été ajustées dans la douceur vis-à-vis du patient, tout autant que dans le respect de ses douleurs.

En écho ou en résonance avec les thérapeutes de l'Antiquité[1], Christine Angelard se souvient que ce n'est pas le médecin qui guérit, c'est « la Nature qui guérit », le rôle du thérapeute est de proposer les meilleures conditions pour que la Nature puisse « opérer » et les différents instruments thérapeutiques (Christine Angelard en utilise beaucoup : médecine classique européenne, médecine traditionnelle chinoise, homéopathie, analyse transgénérationnelle, toucher énergétique, etc.). Ces instruments ne sont que des « moyens habiles » pour rétablir la Présence de l'Être ou « le flux » « courant » de vie, de lumière et d'harmonie, dans une personne en souffrance.

Christine Angelard n'a pas peur de transgresser un certain nombre de tabous, de fausses pudeurs du « prêt à penser » et du « cliniquement correct » en affirmant que l'essence de la Nature qui guérit, c'est « l'Amour »... Elle en donne de nombreux exemples tirés de sa propre vie et de celle de ses patients. Pour Christine Angelard, le thérapeute pour être opérant doit être à l'écoute de cet Amour, présent dans le médecin, dans le malade et, bien sûr, « entre les deux » ; c'est ce « Troisième » qui détient sans doute le secret de la guérison et des nombreux « placebos » dont la science cherche à découvrir les mécanismes et les raisons de leur efficacité. L'approche quantique du réel est intéressante à ce propos : la

---

1. Voir Jean-Yves Leloup, *Prendre soin de l'être. Les thérapeutes d'Alexandrie*, Paris, Albin Michel, 1993 ; coll. « Spiritualités vivantes », 1999.

matière, le corps de l'être humain, sont à la fois onde et parti-
cule. Il faudra donc prendre soin des deux, par la pensée, par
la prière mais aussi par la médication et par le geste (toucher).
Le composé humain, corps-âme-esprit (soma-psyché-noùs),
est indissociable… À ces considérations anthropologiques, il
faudrait ajouter quelques propos métaphysiques, car ce sont
sur ces présupposés métaphysiques simples que se fonde la
médecine traditionnelle ancienne et universelle que redécou-
vre avec bonheur le docteur Angelard.

« L'Être est — le non-être n'est pas. »

« Ce qui est, est ; ce qui n'est pas, c'est du mental. »

« Ce qui. n'est pas "vraiment" est déjà perdu ; ce qui est
"vraiment" ne peut pas nous être enlevé. »

Mais qu'est-ce qui est « vraiment » ? Qu'est-ce qui est
Réel ? Qu'est-ce qui est illusoire, impermanent ?

La Lumière, la Vie, l'Amour, ne sont-ils pas les trois manifestations privilégiées d'un unique Réel ?

« La Lumière — la Conscience — est. » Les ténèbres, la
confusion mentale sont absence ou manque de lumière ;
rétablir le contact avec la lumière peut « chasser » ces ténèbres et cette confusion mentale.

Le rôle du thérapeute sera de proposer des moyens pour
retrouver cette lumière, cet espace de silence, de calme et
d'harmonie au niveau mental (prière, méditation, invoca-
tion, visualisation, etc., et, dans un premier temps, si cela est
nécessaire, pourquoi pas calmants et antidépresseurs ?).

« L'Amour — la compassion — est. » La haine, la peur sont
absence ou manque d'Amour et de confiance ; rétablir le lien
avec cet Amour, cette confiance « originelle » peut chasser la
peur, le ressentiment, la culpabilité, etc.

Le rôle du thérapeute sera de proposer là aussi d'authentiques moyens d'ouverture et de guérison du cœur ; l'anamnèse

de mémoires heureuses ou traumatisantes, l'acceptation ou le pardon, mais aussi l'exercice de la générosité, de la compassion et de l'attention à l'autre maintiennent le cœur « liquide » et vivant.

« La Vie — l'énergie — est. » La maladie, la fatigue, la mort sont absence ou manque de vie ; rétablir en nous « le courant de vie », le « flux », « le mouvement de la Vie » qui se donne, permet de traverser la maladie, la souffrance et la mort ; c'est ce que les anciens appelaient « la grande santé ». Le rôle du thérapeute sera donc de nouveau de proposer des « exercices de vie » qui aideront son patient à « respirer au large » (traduction d'« être sauvé » en hébreu), exercice du Souffle et du calme qu'une respiration profonde peut engendrer, mais aussi « réalignement » des différents centres vitaux du corps, circulation de l'énergie, drainage lymphatique, toucher « confirmant » (haptonomie), etc., sans oublier évidemment les antibiotiques, les régimes alimentaires et l'hygiène de vie (maladies chroniques) quand cela est nécessaire...

Il est bien évident que l'énoncé et la connaissance mentale de ces présupposés anthropologiques et métaphysiques simples ne suffisent pas à faire du philosophe et du médecin un véritable thérapeute.

Être thérapeute demande encore l'acquisition d'autres compétences et de spécialisations dans les domaines pour lesquels on fait appel à lui, mais « l'anamnèse essentielle » de la Lumière, de l'Amour et de la Vie qui sont en lui et dans celui qu'il accompagne donneront certainement à ses compétences et à sa pratique non seulement son efficacité, mais aussi son plaisir et sa joie d'être ce qu'il est : un serviteur de la grande Vie et de la grande Santé, à laquelle nous aspirons tous.

C'est ce plaisir, cette joie « malgré et avec tout ce qui nous arrive » que partage avec nous le docteur Christine

Angelard ; on sort de son livre, comme d'un bain léger et régénérant tout parfumé de lavande, et de ces essences précieuses, qui nous rendent heureux d'être vivants.

Jean-Yves Leloup
Docteur en psychologie, philosophie
et théologie, fondateur du Collège
international des thérapeutes (CIT)

Table des matières

Ce livre a été imprimé au Québec en mars 2010
sur du papier entièrement recyclé
sur les presses de Marquis imprimeur.